Personne ne sut clairement
de quelle manière elle périt.
On ne trouva
que de légères piqûres sur son bras.
Les uns disent
qu'elle approcha d'elle un aspic...

Dion Cassius

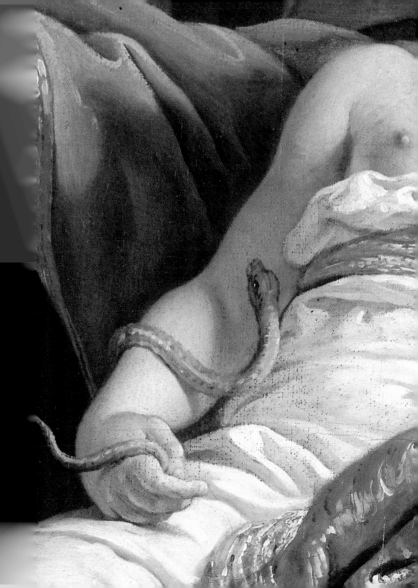

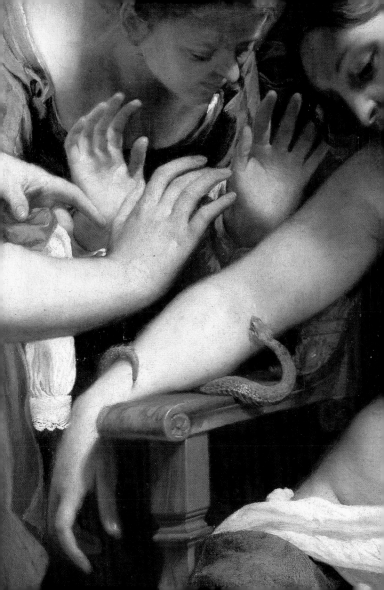

Edith Flamarion est agrégée de grammaire, chargée de recherches au CNRS. Son travail est principalement axé sur les références à l'Antiquité, essentiellement dans la littérature et la peinture des XVIIᵉ et XVIIIᵉ siècles. Dans cette étude, les grands mythes féminins tiennent une large place : Didon, Lucrèce et, bien sûr, Cléopâtre.

A Christian, Antoine et Juliette

Tous droits de traduction et d'adaptation réservés pour tous pays
© Gallimard 1993

Dépôt légal : septembre 1993
Numéro d'édition : 55064
ISBN : 2-07-053192-9
Imprimé en Italie

CLÉOPÂTRE
VIE ET MORT D'UN PHARAON

Edith Flamarion

DÉCOUVERTES GALLIMARD
HISTOIRE

« Quand Alexandre eut conquis l'Egypte, il y voulut bâtir une grande cité, la peupler d'un très grand nombre d'habitants, tous Grecs, et la nommer de son nom.» La petite fille qui naît à Alexandrie au cours de l'hiver 69-68, dans les luxueux appartements de la concubine du pharaon Ptolémée XII, reçoit le nom grec de Cléopâtre : elle est issue de la longue lignée de souverains macédoniens qui règnent sur le pays depuis la mort du grand conquérant et que l'on nomme désormais les Ptolémées Lagides.

CHAPITRE PREMIER

ALEXANDRIE, VILLE PHARE

Cité d'or, Ville du phare, Très Brillante Alexandrie... innombrables sont les louanges que décernent les Anciens à la cité égyptienne dont l'éclat et la splendeur sont à leur apogée sous le règne de Cléopâtre.

C'est l'ancêtre de Cléopâtre, Ptolémée Ier Sôter (le «Sauveur»), fils de Lagos (le «Lièvre»), qui a fondé officiellement, en 304 avant notre ère, en tant que diadoque (successeur) d'Alexandre le Grand, la dynastie des Ptolémées Lagides. On compte avant elle six princesses du nom de Cléopâtre, ou «Gloire de son père». La petite fille est donc grecque, même si on trouve dans son ascendance des «Barbares», comme sa bisaïeule, une des filles du roi de Syrie, une Séleucide de sang perse.

Sa famille, qui s'augmente bientôt d'une autre petite fille, Arsinoé, et de deux garçons, les futurs Ptolémée XIII et Ptolémée XIV, n'a rien d'un groupe uni et solidaire : à l'image de celles qui l'ont précédée sur le trône égyptien, elle est déchirée par les intrigues, les ambitions et les jalousies. Les femmes y prennent une part active puisque la loi pharaonique, reprise par les Lagides, les autorise à monter sur le trône prestigieux, en tant qu'épouse de leur frère-souverain – le couple pharaonique associe en effet le fils aîné et la fille aînée du pharaon décédé. Avant Cléopâtre, deux rivales potentielles sont à craindre : Bérénice et Cléopâtre VI, les deux filles de la première épouse de Ptolémée XII – sa sœur –, Cléopâtre dite Tryphaia, la «Jouisseuse».

Les Ptolémées tiennent à respecter leurs origines macédoniennes : malgré

E pris de culture, Ptolémée Ier laisse à sa mort, en 283, un royaume très prospère. Son successeur aurait ramené le corps d'Alexandre à Alexandrie, faisant de la cité la véritable capitale de l'Egypte.

l'influence des coutumes africaines et orientales du pays qu'ils gouvernent, ils vivent à la grecque, s'habillent à la grecque, parlent le grec – la *koinè*, langue commune à tous les royaumes hellénistiques –, rendent

De la ville fondée par Alexandre en – 322, il ne reste plus rien. La description laissée par le Grec Strabon, qui la visite en – 25, a permis d'en tracer un plan approximatif. La cité tient à la fois des villes grecques à plan orthogonal et des résidences royales égyptiennes, tout le quartier nord-est étant réservé aux palais des pharaons. Elle abrite le Séma, monument funéraire d'Alexandre et des premiers Lagides divinisés. Typique de la cité hellénistique égyptienne, le Sérapéion (en haut, sur une monnaie), splendide temple au toit orné d'or bâti sur une colline, est dédié à Sérapis, nouvelle divinité forgée par Ptolémée Ier à partir d'Osiris, d'Esculape et de Zeus. Ralliant le suffrage des Grecs et des Egyptiens, son culte se répand à travers tout le pays.

MER MÉDITERRANÉE

- cropole
- Temple d'Isis Pharia
- Phare
- haros
- Pont
- Héptastade
- Grand Port
- Palais de Lochias
- Port des Rois
- Temple d'Isis Lochias
- ur
- Pont
- Emporion
- Arsinoéion
- Poséidonion
- Bruchion
- Théâtre
- Néapolis
- Tribunaux
- Agora
- Canal
- Nécropole
- Hypogée des mercenaires
- "Tombe d'Albâtre"
- Gymnase
- Hippodrome
- Sérapéion
- Eleusis
- Mur d'enceinte
- Canal
- otis
- 0
- 1 000 m

des cultes grecs à des dieux qu'ils tâcheront néanmoins d'associer aux dieux locaux et, comme l'écrit le géographe Strabon au Ier siècle av. J.-C., «n'avaient pas tout oublié des coutumes des Hellènes».

«Très brillante Alexandrie»

La cité où naît Cléopâtre est, à cette époque, la plus grande du monde antique. Il y a loin entre cette superbe agglomération et le petit village de Râ-Kedet (Rakotis, en grec) qu'avait choisi Alexandre en 322 av. J.-C. pour fonder un port auquel il donne, comme

Au côté du souverain lagide, épouses, maîtresses, sœurs et mères jouent un rôle déterminant dans la conduite du pouvoir, des intrigues de cour et des complots qui vont parfois jusqu'au meurtre. Elles ont pour nom Arsinoé, Bérénice, Cléopâtre...

aux soixante-dix autres villes qu'il crée, le nom d'Alexandrie. Le site, rapporte Plutarque, lui en avait été désigné pendant son sommeil par «un personnage ayant les cheveux tout blancs de vieillesse, avec une face et une présence vénérable».

Habiles politiques, les Ptolémées associent à Sérapis l'ancestrale déesse égyptienne Isis (à gauche), Guérisseuse, Protectrice des marins, Conductrice des Muses, Déesse au dix mille noms...

Au carrefour de l'Europe, de l'Asie et de l'Afrique, merveilleusement située à l'écart du delta du Nil, protégée au nord par la petite île de Pharos, au sud par le lac Maréotis et à l'est par le Nil, la nouvelle cité devient la capitale de l'Egypte sous Ptolémée Ier, qui la préfère à Thèbes, trop éloignée de la mer et aux mains des grands prêtres égyptiens.

Au temps de Cléopâtre, Alexandrie est à son apogée. Elle se présente comme une forêt de splendides monuments de marbre, palais, théâtres, amphithéâtres, temples – ceux de Poséidon, de Dionysos, qui étend une protection spéciale sur les Lagides, ou encore le Sérapéion, temple de Sérapis, dieu introduit en Egypte par les Ptolémées comme une fusion de Zeus et d'Osiris.

L'île de Pharos abrite une des sept merveilles du monde : la tour de marbre

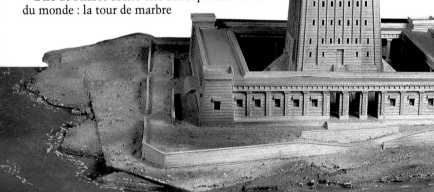

resplendissant, dont l'élégance et les proportions ont fait l'admiration des Anciens, élève ses trois étages sur 130 mètres de haut ; édifiée par l'architecte cnidien Sostrate sous Ptolémée II pour guider les navires, elle éclaire la mer par un feu puissant sur un rayon de 55 kilomètres.

Cléopâtre habite dans le quartier nord-est, le Bruchion. L'imposant ensemble des palais royaux, aéré par des jardins délicieux, s'avance dans la mer jusqu'à la pointe de la presqu'île de Lochias. La cité alexandrine, long parallélogramme bordant la Méditerranée sur environ 6 kilomètres de long et 1,5 kilomètre de large, est quadrillée par un réseau de larges voies imaginé par l'architecte Dinocratès de Rhodes. Une large chaussée, l'heptastade (longue de sept stades, à peu près 1 200 mètres), relie l'île de Pharos au continent, formant deux ports : le Grand Port à l'est, en face du Bruchion, et le port du Bon Retour à l'ouest.

«Le comptoir du monde»

Les rues fourmillent d'une population très dense – 300 000 Alexandrins habitent dans la cité même, 700 000 dans l'agglomération –, une population cosmopolite composée, pour l'essentiel, de trois grandes communautés : la communauté grecque, qui occupe le

Dans toute la Méditerranée, on faisait commerce de gracieuses figurines en terre cuite, aux traits précis, rehaussés par la polychromie, produites à Alexandrie.

«Sur ce rocher s'élève une tour à plusieurs étages, en marbre blanc, ouvrage merveilleusement beau qu'on appelle aussi le phare, comme l'île elle-même» (Strabon). Il est surmonté d'une statue colossale, sans doute de Zeus Sauveur. Au XIVe siècle, on peut encore admirer l'édifice, certes délabré. Au siècle suivant, le mamelouk Quait Bey en utilisera les pierres pour construire un fort.

centre de la ville, la communauté juive dans le quartier est et les Egyptiens, plus pauvres, dans la vieille ville, à l'ouest. Marins, commerçants, artisans, fonctionnaires et mercenaires s'y côtoient.

La vie n'est rendue possible que par un système ingénieux de canaux, de citernes et de filtres qui purifient l'eau du Nil et du lac Maréotis. Quand les jardins ne suffisent plus à rendre l'atmosphère supportable, les Alexandrins vont sur les berges du lac Maréotis. Les riches citoyens y ont construit, parmi les vignes, les jardins et les vergers, de somptueuses maisons de campagne.

La ville, à la croisée des routes caravanières reliant l'Afrique et l'Asie (depuis la côte indienne et la Chine) et des routes maritimes, est le marché d'innombrables produits – ivoire, épices, fruits exotiques, vivres, vins et objets d'art –, le «comptoir du monde», dit Strabon. Alexandrie est alors le premier port de céréales de la Méditerranée. Le blé y est entreposé dans des silos que les papyrus en grec nomment *thésavroi*, «trésors». Les plaisirs aussi s'y vendent : les faubourgs d'Eleusis et de Canope sont connus pour leurs danseuses et leurs «mignons», les *cinaedi*.

Une grande mosaïque, réalisée en Italie sans doute par des artistes grecs venus d'Egypte, met en scène, en une représentation symbolique, la vie grouillante autour du Nil en crue dans l'Egypte hellénisée : des sanctuaires égyptiens à pylônes (page de droite en haut) et une procession vers un petit temple grec (à droite), un banquet sous la pergola (en bas, à gauche), des pêcheurs, un paysan devant sa maison (en bas, à droite) et, devant ce qui pourrait être le palais royal (au centre), des hoplites, soldats grecs.

Le foyer des Muses

C'est également le lieu d'intenses échanges
intellectuels et artistiques. Certes, on n'est plus au
temps de l'apogée de l'«école alexandrine» qui vit
triompher, au IIIe siècle av. J.-C., le mathématicien
Euclide, les poètes Théocrite et Callimarque et le
sculpteur Apelle. Mais l'Alexandrie du Ier siècle
av. J.-C. offre encore de quoi séduire les intellectuels
de l'époque.

La vie culturelle se concentre dans deux
édifices du quartier royal : la bibliothèque
et le musée, fondés par Ptolémée Ier qui,
ainsi que tous ses successeurs, a encouragé
la collecte de documents.

Le Nil, dont la crue
fécondante débute
à la fin de l'été, au
moment où les fleuves
méditerranéens sont à
sec, émerveillait les
Anciens pour la
richesse qu'il apportait
à la terre égyptienne.

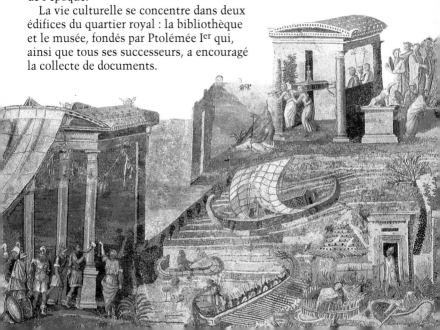

La bibliothèque compte quelque 700 000 ouvrages à l'époque de Cléopâtre, ce qui constitue le plus grand fonds contemporain avec celui de la bibliothèque de Pergame. Les textes sont copiés, révisés et commentés par des scribes ; la science philologique fait, à cette époque, d'énormes progrès.

Le musée, ou espace consacré aux Muses, incarnation des activités intellectuelles et artistiques, est en fait un centre de

"Chargé de la bibliothèque du roi, Démétrios de Phalère reçut des sommes importantes pour réunir, au complet si possible, tous les ouvrages parus dans le monde entier."

Lettre d'Aristée

recherches scientifiques. Sa grande salle propre aux réunions et aux colloques, son promenoir entouré d'arcades et sa vaste salle à manger facilitent les échanges entre les savants qui, bénéficiant des subsides du souverain, peuvent consacrer tout leur temps aux études. C'est l'époque des classements, des inventaires à l'érudition parfois étroite ; mais c'est grâce à ces formidables travaux qu'une bonne partie des textes anciens nous est parvenue. Alexandrie est, de plus, l'un des berceaux des sciences modernes : rhétorique, philosophie, médecine, anatomie, géométrie, hydrostatique, géographie et astronomie...

Rome, l'autre pôle du bassin méditerranéen, n'échappe pas au rayonnement de la cité égyptienne. Des poètes comme Catulle, Properce et Ovide puisent leur inspiration dans la source alexandrine ; les Romains sont très friands des bijoux d'or ornés de pierres précieuses et de la vaisselle d'argent

Réfugié auprès de Ptolémée Ier, Démétrios fonde, vers – 290, un centre de recherche, placé sous la protection des Muses, le musée, qui réunit les plus grands savants. La bibliothèque, qui en fut sans doute d'abord une annexe, fut dirigée par des érudits comme Zénodote, le premier éditeur d'Homère, Callimarque, qui établit le catalogue des ouvrages, ou encore le géographe Eratosthène. Au temps de Cléopâtre, elle regroupe 700 000 volumina, des rouleaux faits de feuilles de papyrus collées et enroulées sur un bâton, qui sont répertoriés, étiquetés et rangés sur des étagères. Tous les savoirs contemporains y sont représentés ; on y trouve jusqu'à des traités de pâtisserie. L'activité y est si intense qu'on dut en établir une filiale dans le Sérapéion.

ciselé qui sont les spécialités d'Alexandrie. Les statuettes qui inondent le pourtour de la Méditerranée portent la marque du goût alexandrin pour le réalisme forcé, le bizarre, le grotesque, voire le difforme. Les maisons pompéiennes donnent une idée de la peinture prisée en Egypte.

L'Egypte, une proie tentante pour Rome

Dans une gigantesque entreprise de conquête, Rome s'est peu à peu emparée de la quasi-totalité des pays riverains de la Méditerranée, qu'elle pourra bientôt appeler *mare nostrum* («notre mer»). Au Ier siècle av. J.-C., le bloc égyptien est l'un des plus importants à rester indépendant ; il participe, pour les Romains, du mirage oriental et offre un enjeu de taille, sur le plan économique et militaire.

L'Egypte est en effet le plus riche des Etats hellénistiques. Le royaume lagide est une formidable machine à produire des richesses, qui reviennent, pour la plupart, au souverain. L'économie, entièrement planifiée, est, en majorité, aux mains des Grecs (le cinquième de la population, qui est environ de 7 millions d'habitants). L'exploitation de la terre, sévèrement réglementée, est surveillée par les fonctionnaires (nomarques, toparques et secrétaires), qui dépendent du stratège grec ; cet administrateur

La terre produit naturellement plus de fruits que d'autres, surtout quand elle est arrosée [...]. Mais le travail des hommes a souvent eu le dessus quand la nature a fait défaut.
                                    Strabon

La richesse de l'Etat lagide vient pour une bonne part de l'exploitation agricole. Propriété des pharaons ou du clergé, la terre est souvent concédée aux colons grecs. Elle est cultivée par la masse indigène, accablée par les fermages et autres corvées, qui sont à l'origine de révoltes sporadiques.

A Rome, on trouve des objets d'art d'inspiration égyptienne, comme cette précieuse tasse découverte à Stabies. Réalisée en obsidienne et incrustée d'émaux retenus par des fils d'or, elle est décorée d'une scène d'offrande à Hathor, la vache au disque solaire, et à Horus, son époux, symbolisé par le faucon.

doté de tous les pouvoirs dirige chaque unité administrative. Les techniques importées par les colons grecs militaires (les clérouques) et les cultures nouvelles permettent une meilleure exploitation des terres. La riche région du Fayoum est ainsi cultivée par une forte colonie grecque.

L'Etat domine toute la production : il possède des monopoles (huile, bière, papyrus et lin) et impose un lourd système de contrats et de licences aux entreprises privées. Les ateliers royaux sont très surveillés. Les prix sont imposés, sans rapport avec les prix de revient. L'Etat lagide produit beaucoup, consomme peu et exporte beaucoup. Dans les greniers d'Alexandrie s'entassent des masses énormes de produits qu'on expédie à l'extérieur. Tous ces revenus sont gérés par des banques très nombreuses, dont les plus puissantes sont des banques d'Etat, véritables caisses publiques qui reçoivent les taxes, les impôts et les licences qu'elles font fructifier par des placements et des prêts. Les Lagides ont imaginé un système original : les banquiers sont responsables sur leurs propres biens... Le souverain a donc de quoi alimenter un énorme trésor royal qui lui permet d'entretenir une forte armée, bien utile pour maintenir son pouvoir sur un pays miné par les oppositions nationalistes et religieuses.

Il y a longtemps que Rome a les yeux tournés vers l'or de l'Egypte. A chaque conflit intérieur ou extérieur, elle se pose en arbitre, prêtant à l'occasion main forte. L'Egypte, quant à elle, a toujours joué la carte romaine comme contrepoids à l'immense royaume des Séleucides d'Asie.

Un fort réseau de fonctionnaires quadrille le pays en une structure pyramidale (ci-dessous, une statue du gouverneur de Tanis). Au sommet de cette hiérarchie, à Alexandrie, le dioicète, sorte de Premier ministre, vérifie la bonne rentrée des taxes, en espèces et en nature, dans les caisses et les greniers royaux. Des échanges de courrier fréquents maintiennent une liaison étroite entre tous ces représentants du pharaon.

Un pharaon joueur de flûte

En – 80, Sylla, dictateur de la République romaine, intervient diplomatiquement pour contraindre la reine d'Egypte, Bérénice, à épouser son neveu, Ptolémée XI. Funestes épousailles qui aboutirent quelques mois plus tard à l'assassinat du pharaon, une fois qu'il eut fait tuer sa femme ! Alexandrie porte alors sur le trône un bâtard de Ptolémée X. Le nouveau pharaon, Ptolémée XII, prend les épithètes prestigieuses de Neos Dionysos («Nouveau Dionysos»), Philopator («Qui aime son père»), Philometor («Qui aime sa mère»); mais le peuple a vite fait de le surnommer Aulète, «Joueur de flûte».

Le père de Cléopâtre, en effet, est célèbre par son goût pour les fêtes et les banquets où il s'enivre volontiers et s'exhibe, au milieu des danseuses, à jouer de la musique. Son incurie est grande face aux difficultés qui déchirent le pays : révoltes agraires et indigènes, problèmes économiques, dégradation financière, auxquels il ne trouve comme réponse que la pratique intense de la corruption. Aulète est, de plus, dévoré par la crainte d'être privé de son trône; les Romains le lui répètent à

Parfait exemple de la propagande dynastique chantant la prospérité du pays dirigé par les Lagides, cette coupe à fond plat (IIe siècle av. J.-C.) témoigne de l'alliance des arts égyptien et grec : le sphinx d'Osiris (à la base) et l'Isis-Cléopâtre (au centre) à la poitrine étroite et aux flans évasés sont égyptiens tandis que le Nil, vieillard tenant une corne d'abondance, est de facture alexandrine, ainsi que l'enfant héritier Horus Triptolème et les saisons (à droite), qui évoquent les trois Grâces.

l'envi, arguant d'un testament qu'aurait rédigé Ptolémée XI et selon lequel le défunt souverain aurait légué l'Egypte à Rome. Le Sénat romain, qui a profité de ce prétendu testament

pour s'emparer des biens personnels du pharaon décédé, reste cependant favorable à l'autonomie de l'Egypte. A plusieurs reprises, en – 65 et – 64, épaulé par les aristocrates, il s'oppose au projet de réduire l'Egypte en province. Sans doute craint-il en effet de voir ceux qui le proposent, comme César et Crassus, en tirer un immense pouvoir financier et politique.

"A la honte de tous ses autres déportements, [Aulète] ajoutait celle de professer pour la flûte une véritable passion, se montrant même si fier de son talent de virtuose qu'il ne rougissait pas d'établir dans son palais des concours de musique et de se mêler aux concurrents pour disputer le prix."

Strabon

Sous le règne de Ptolémée XII (ci-dessus), souverain très décrié par une partie des Alexandrins, l'Egypte s'endette et s'affaiblit considérablement.

Pompée le Grand aux portes de l'Egypte

Un homme se fait alors le défenseur de l'indépendance égyptienne : Pompée le Grand, auréolé de gloire depuis qu'il a réprimé la révolte des marianistes et battu leur chef Sertorius, qu'il a dispersé les pirates ciliciens qui infestaient la Méditerranée, qu'il a écrasé le puissant roi d'Asie Mithridate. En – 64, le royaume séleucide tombe sous

ses coups. L'année suivante, il réduit la
Syrie en province romaine, constituant
un point d'ancrage de la puissance
romaine au Moyen-Orient, aux portes de
l'Egypte, et s'empare de Jérusalem. Aulète
s'en est fait un allié en lui envoyant, lors
de sa campagne d'Orient, 8 000 cavaliers et
de nombreux présents, parmi lesquels une
lourde couronne d'or.

Mais en – 60, le pharaon a des raisons de
trembler : Pompée fait alliance avec César,
qui deviendra consul l'année suivante. Le
souverain égyptien fait parvenir à Rome une
somme immense, 8 000 talents, qui lui permet
d'obtenir la reconnaissance officielle de son
pouvoir : la loi julienne le déclare «allié et ami
du peuple romain», le plaçant en fait dans un
lien de vassalité.

Pourtant le danger se rapproche : le frère
d'Aulète, qui règne sur Chypre, est attaqué par
Rome en – 58. Il s'empoisonne et son vainqueur,
Caton, peut s'emparer de l'île
et de son trésor qu'il remet
au Sénat.

Aulète chassé
d'Alexandrie

Est-ce cette approche
militaire qui effraie
les Alexandrins ?
Sans doute chassé par ses
sujets, Aulète s'enfuit
d'Egypte pour gagner Rome.
Dès – 57, il y entame une
campagne de manœuvres et
de corruption pour gagner
à sa cause tout ce que la
capitale italienne
compte de

Pompée le Grand
est, au milieu du
1er siècle av. J.-C.,
l'homme fort de
l'Orient romain :
ses victoires sur les
royaumes du Pont
et de Syrie lui ont
permis d'imposer à
cette région une
organisation durable.
C'est à son ami
Gabinius, gouverneur
de Syrie, qu'il donnera
l'ordre d'intervenir sur
le sol égyptien.

citoyens puissants. Il distribue son or, achète des sénateurs, dépense tant qu'il est contraint d'emprunter à un riche financier romain, Rabirius.

Pendant ce temps, les Alexandrins portent sur le trône sa fille aînée, Bérénice IV, et envoient à Rome une députation pour demander au Sénat son arbitrage

dans le conflit entre le père et la fille. Aulète ne recule pas devant l'assassinat d'une bonne partie des envoyés. Rome hésite, tergiverse, recourt aux textes sacrés. Mais les Livres sibyllins n'encouragent pas l'intervention armée qui rétablirait Aulète. Celui-ci, désespéré, s'enfuit de Rome pour gagner Ephèse, en Asie Mineure. Cléopâtre, alors âgée d'une dizaine d'années, est restée à Alexandrie où règne désormais sa demi-sœur.

Rome prend les armes

C'est alors que Rome se décide à intervenir militairement. Un lieutenant de Pompée, Gabinius, gouverneur de Syrie, marche sur l'Egypte à la tête d'une puissante armée – les 10 000 talents que lui a promis Aulète ne sont pas étrangers à cette expédition ! La cavalerie est dirigée par un bouillant officier de vingt-quatre ans, Marc-Antoine. Gabinius prend Péluse puis Alexandrie ; le mari de Bérénice, Archilaüs, périt au combat. Aulète entre en vainqueur dans la capitale égyptienne et fait aussitôt exécuter sa fille.

Le pharaon rétabli sur son trône, Gabinius quitte l'Egypte en prenant toutefois la précaution de laisser à Alexandrie une garde militaire, formée essentiellement de mercenaires germains et gaulois. Le Romain Rabirius, le créancier d'Aulète, devient dioicète d'Egypte.

La force de Rome, et de ses gouvernants, repose sur ses soldats (à gauche, un légionnaire), véritables professionnels de la guerre. Rompus à toutes les fatigues, régulièrement entraînés, soumis à une stricte discipline qui les place sous l'entière domination de leur *imperator*, le général en chef, qui possède sur eux l'*imperium*, ou droit de vie et de mort, ils forment une armée permanente depuis la fin du IIe siècle av. J.-C. Malgré son hétérogénéité – aux citoyens romains se mêlent les troupes auxiliaires (mercenaires gaulois, numides, espagnols, germains et thraces) –, elle est à cette époque une des meilleures armées du monde. Face à elle, l'armée des Lagides, dont les éléments grecs constituent les cadres efficaces, aura fort à faire.

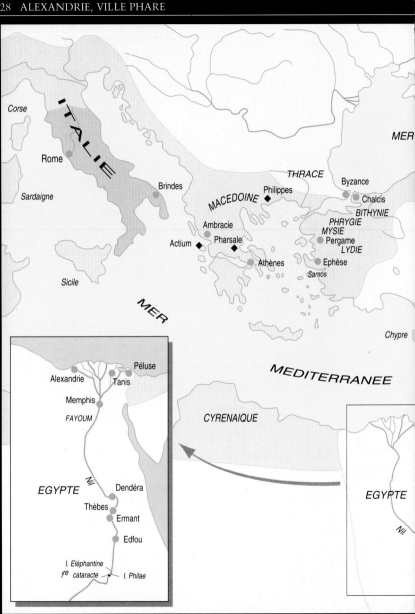

NOIRE

PONT

CAPPADOCE

ARMENIE

Tarse

Antioche

PARTHIE

SYRIE

Tigre

COELE-SYRIE

Euphrate

Tyr

JUDEE

Jérusalem

Jéricho

IDUMEE

ARABIE

Italie romaine au milieu du III^{e}s.av.J.-C.

Conquêtes de la République

Conquêtes du début de l'empire

◆ Grande bataille

0   500 km

Depuis le début du IIIe siècle av. J.-C., Rome a conquis peu à peu les pourtours du Bassin méditerranéen. Vaste empire, traversé d'un réseau de voies maritimes, qui s'organise politiquement autour de la cité romaine : des magistrats sortis de charge – proconsuls et propréteurs, pour la plupart – gouvernent les provinces conquises par les armes ou léguées, en héritage, par leurs souverains. Il en résulte un fort brassage de cultures, profondément marquées par l'hellénisme.

Loin de Rome, divisée en multiples Etats, proche de l'inquiétant royaume parthe, la zone orientale est la plus difficile à maitriser. Au milieu du Ier siècle av. J.-C., pourtant, l'essentiel est passé sous la domination romaine : Pergame, Bithynie, Pont, Cilicie, Syrie, Chypre. Seules, la Judée et l'Egypte ont un statut autonome; leurs souverains, Hérode et Cléopâtre, sont des rois-clients, placés et maintenus au pouvoir par les Romains.

En – 51, Ptolémée XII Aulète meurt. Son testament désigne comme successeurs ses deux enfants aînés : Cléopâtre, qui a dix-huit ans, et Ptolémée XIII, qu'elle se voit contrainte d'épouser, selon la loi des Lagides. Ce mariage blanc avec un enfant d'à peine dix ans la laisse entièrement libre de diriger le pays à sa guise. Elle devient Cléopâtre VII, «maîtresse des deux terres» qui règne sur la Haute et la Basse Egypte.

CHAPITRE II
UNE REINE
DE DIX-HUIT ANS

Cléopâtre au double visage : descendante des compagnons grecs d'Alexandre, la reine se fait aussi représenter sur les bas-reliefs des temples égyptiens avec les attributs pharaoniques.

Comme c'était la coutume, Cléopâtre VII prend un surnom, celui de Philopator, «Qui aime son père». Les immenses pouvoirs du pharaon se concentrent désormais entre ses mains : elle est la «loi vivante» garantie de l'ordre et de la prospérité, propriétaire de ses sujets et de son territoire, véritable divinité auréolée du culte royal que lui rendent à la fois les prêtres égyptiens et un clergé grec.

Une femme savante

La jeune Cléopâtre a passé sa petite enfance dans le gynécée royal. Plus tard, elle a reçu l'éducation réservée depuis des siècles aux filles de pharaon, destinées à régner aux côtés de leur frère-époux, éducation qui n'est d'ailleurs pas différente de celle des garçons. Le programme en est très riche. En effet, la tradition pharaonique, qui consacrait déjà une grande importance à l'étude, est reprise et accentuée par les Ptolémées. Comme tous les souverains hellénistiques, ils ont toujours encouragé l'*enkukléios paidéia* (de l'expression vient le terme «encyclopédie»), ou culture générale. Ils ont donc encouragé la création, sur l'ensemble du sol égyptien, d'un réseau d'écoles primaires et secondaires ainsi que de gymnases, où est formée une élite grecque – filles et garçons –

❝Des discussions pour les philosophes, des théâtres pour les poètes, des chœurs de danse et des concerts, des entretiens bien réglés autour de la table des banquets...**❞**
L'Axiochos

❝Je veux que tu saches [...] que l'on ne trouve pas plus musiciens que les Alexandrins.**❞**
Athénée

appelée à asseoir le pouvoir du souverain sur les masses indigènes.

L'enseignement dispensé dans ces écoles accorde, au temps de Cléopâtre, la place principale aux disciplines littéraires ; il est essentiellement livresque et s'appuie sur la connaissance de la littérature grecque, au sein de laquelle ont été retenus des textes reconnus comme des chefs-d'œuvre et dont la liste «canonique» a été soigneusement établie.

La reine a donc lu et étudié les épopées d'Homère, très prisées à la cour, les œuvres d'Hésiode et de Pindare, les tragédies d'Euripide, préférées à celles d'Eschyle et de Sophocle, les comédies de Ménandre et les *Histoires* d'Hérodote et de Thucydide. L'art de la rhétorique, elle l'a appris à travers les discours de Démosthène. Son éducation scientifique n'a pas été négligée : elle a suivi des cours d'arithmétique et de géométrie, d'astronomie et de médecine, dont les écoles fleurissent à Alexandrie. Elle a aussi, en amatrice éclairée, appris à dessiner, à jouer de la lyre à sept cordes, à chanter et s'est adonnée aux exercices

Papyrus, tablettes et ostraka égyptiens datant de l'époque hellénistique (ci-dessus, un papyrus d'astronomie) attestent de la richesse de la vie scolaire du pays et de l'homogénéité de sa tradition pédagogique depuis la conquête d'Alexandre. L'éducation, très complète, maintient le caractère grec de l'élite gouvernante et vise autant la formation morale de l'individu que son épanouissement intellectuel et physique. Littérature, rhétorique, médecine et astronomie sont les disciplines les plus étudiées, de même que les mathématiques, qui incluent la musique.

physiques – critère sûr de l'hellénisme en pays «barbare» : elle monte très bien à cheval.

Ses qualités intellectuelles sont manifestes. Elle est particulièrement douée pour les langues étrangères : «Sa langue, écrit Plutarque sans doute avec quelque exagération, était comme un instrument de musique à plusieurs jeux et à plusieurs registres, qu'elle utilisait aisément dans l'idiome qui lui plaisait, à tel point qu'elle parlait à peu de nations barbares avec l'aide d'un interprète mais leur répondait elle-même, au moins à la plus grande partie d'entre eux, comme aux Ethiopiens, aux Arabes, aux Hébreux, aux Syriens, aux Médois, aux Parthes et à beaucoup d'autres encore, dont elle avait appris les langues.» Elle est l'une des seules de sa famille à avoir voulu manier couramment ces langues qui lui permettront de se livrer avec aisance aux tractations diplomatiques.

Elle montre beaucoup de goût pour les sciences. Est-ce pour cela que Photin, spécialiste d'arithmétique et de géométrie, nommera son ouvrage Le Canon de Cléopâtre? Elle s'entoure très tôt d'érudits, comme le médecin Dioscoride ou l'astronome Sosigène, qui remaniera plus tard le calendrier romain pour Jules César. Sa curiosité d'esprit, son goût pour la réflexion, son intelligence se doublent d'un grand sens de l'humour frisant parfois l'insolence. Elle aime les jeux de mots, les plaisanteries ; mais, sous cette humeur enjouée, s'affirment vite une volonté tenace et une grande énergie.

Les écoliers s'exercent à lire, copier et résumer les auteurs grecs, Homère en particulier, dont on dit qu'Alexandre emportait partout son *Iliade.* Ils écrivent des rédactions sur l'histoire de Philoctète, d'Achille, d'Iphigénie à Aulis...

Cléopâtre aurait écrit un traité sur les cosmétiques. Autant que les parfums, les Alexandrines, en effet, affectionnaient les onguents, les huiles odoriférantes et les fards pour les yeux. Ci-dessous, la fabrication des parfums.

Et le nez de Cléopâtre ?

Est-elle seulement belle ? Pour Dion Cassius, pourtant tout occupé à chanter les louanges d'Octave-Auguste, l'ennemi de Cléopâtre, elle est d'une beauté sans pareille, qui fait d'elle une magicienne irrésistible : «Elle était splendide à voir et à entendre, capable de conquérir les cœurs les plus réfractaires à l'amour, et jusqu'à ceux que l'âge avait réfrigérés.» Plutarque, lui, est plus nuancé : «Sa beauté

Cette représentation circulaire d'une partie de la voûte céleste avec les planètes, les constellations, les décans et les signes du Zodiaque date de l'époque de Cléopâtre. L'astronomie, comme souvent aux temps ptolémaïques, est ici utilisée à des fins astrologiques.

n'était pas en elle-même incomparable, ni même de nature à frapper ceux qui s'en approchaient.» C'est bien ce que semblent confirmer les représentations qu'on a trouvées d'elle.

Pourtant, il est indéniable que Cléopâtre exerce un charme puissant sur ceux qui l'approchent. Elle possède «une étrangeté, nous dit encore Plutarque, qui provoquait une attraction puissante». Cela est surtout sensible quand elle parle : «Sa conversation était si aimable qu'il était impossible d'en éviter la prise [...]. La bonne grâce qu'elle avait à deviser, la douceur et la gentillesse de son naturel, qui assaisonnait tout ce qu'elle disait ou faisait, était, selon lui, un aiguillon qui poignait au vif.» Dion Cassius en convient, «le charme de sa parole était tel qu'il gagnait tous ceux qui l'écoutaient». En même temps que sa voix, c'est donc bien son intelligence et sa vivacité qui séduisent. Mais elle sait aussi tirer parti des parures, parfums et bijoux qu'affectionnaient les Alexandrines, célèbres pour leur art du maquillage, leurs coiffures compliquées, leurs robes de pourpre qu'elles échangeaient, les jours de fête, pour des vêtements d'une blancheur immaculée,

"Le nez de Cléopâtre : s'il eût été plus court, la face du monde aurait été changée."
                                            Pascal

Parfait symbole de séduction féminine, Cléopâtre a, certes, un profil accusé qui ne manque pas de caractère – ses bustes et ses médailles en témoignent. Pour le reste, nous en sommes réduits à imaginer ce qui faisait le charme que tous les Anciens sont unanimes à lui reconnaître. En effet, pas une seule statue en pied d'elle ne nous est restée et aucun texte contemporain ne donne de précisions sur son aspect physique. L'attraction qu'elle exerçait sur son entourage tenait essentiellement à sa voix, «dont le son même donnait du plaisir, sa langue étant comme un instrument à cordes dont elle jouait aisément» (Plutarque), ainsi qu'à son caractère enjoué et à sa subtilité. Elle aimait se parer de bijoux précieux et adorait les perles... comme César.

rehaussés de broches et de bracelets ciselés, d'épingles d'or, de pendants d'oreilles et de colliers de perles.

Reine à part entière

Comme ses ancêtres, Cléopâtre va gouverner par édits, ordonnances et instructions, aidée d'un personnel de courtisans, d'«amis» et de «parents». Assistée du dioicète (le premier Ministre), elle supervise l'action des fonctionnaires et des stratèges grecs à qui sont

L e serpent est indissolublement lié à l'histoire de Cléopâtre: attribut d'Isis, l'uraeus orne aussi le diadème du pharaon. Confondu avec le serpent maléfique de la Bible, il fera de Cléopâtre une digne fille d'Eve la pécheresse.

confiées les circonscriptions territoriales. Mais, comme tout pharaon, elle se doit d'être accessible, de recevoir en mains propres placets et requêtes, de rendre la justice elle-même. La tâche est lourde : la bureaucratie sclérose le pays ; le nationalisme indigène gronde ; les paysans, touchés par d'importantes famines en – 50 et – 49, se révoltent et vont grossir les bandes de brigands qui dévastent les campagnes ; la monnaie égyptienne s'est considérablement affaiblie; le pays surtout est de plus en plus tributaire de Rome.

Ces difficultés sont aggravées par l'hostilité que rencontre la jeune reine dans son entourage : sa sœur cadette Arsinoé convoite le trône et son frère-époux est manipulé par trois conseillers fort hostiles à la reine, l'eunuque Photin, le soldat Achillas et le rhéteur Théodote.

Cléopâtre va très vite faire preuve de son génie politique. Elle prend rapidement les mesures qui lui semblent s'imposer. Elle dévalue la monnaie d'un tiers de sa valeur pour faciliter les exportations indispensables au bon fonctionnement de l'économie égyptienne et lance des emprunts forcés. Elle inaugure également une nouvelle politique religieuse, propre à séduire les masses indigènes et la caste toute-puissante des prêtres, qui possède une bonne partie des terres.

Surtout, Cléopâtre se préoccupe de politique internationale. Elle tient à éviter le conflit avec Rome, dont les troupes stationnent dans tout le Moyen-Orient, et donne des gages de sa bonne volonté. Lorsque deux fils du proconsul romain de Syrie Bibulus sont assassinés à Alexandrie en –50, elle livre les meurtriers présumés au proconsul. Puis elle offre son soutien à Pompée dans l'affrontement qui l'oppose désormais à son grand rival César : c'est lui l'allié traditionnel des Lagides, c'est lui qui, à ce moment, semble être le plus puissant, bien que César, après son passage du Rubicon, l'ait chassé de Rome. Elle lui fait donc parvenir en –49 soldats et vivres. Le

"Isis la Grande [...], qui dispense la vie [...], la puissante, souveraine des dieux, dont le nom est élevé au-dessus des déesses [...], sans qui personne n'accède au palais [...].**"**
Inscription du temple de Philae

A l'époque lagide, Isis devient une déesse universelle à laquelle s'identifie Cléopâtre, «Nouvelle Isis». Les Ptolémées lui font édifier une multitude de sanctuaires ornés de statues de facture traditionnelle avec pagne et perruque.

bruit courut alors qu'elle aurait eu une liaison avec le jeune fils de Pompée, Cneius Pompeius, venu en ambassade à Alexandrie.

L'appui officiel accordé à Pompée provoque-t-il la colère des Alexandrins ? Les intrigues d'Arsinoé et Ptolémée les poussent-ils à la révolte ? Au début de l'année – 48, Cléopâtre doit s'enfuir de la capitale et se réfugier chez les tribus arabes, à la frontière orientale de l'Egypte, près de la Syrie.

Sans chercher un appui extérieur, elle entreprend de reconquérir son royaume. Elle lève une armée de mercenaires à la tête de laquelle elle marche vers Alexandrie. Mais elle est arrêtée au promontoire de Kasion, en avant de Péluse, par les troupes du jeune roi que commandent ses trois régents. Les deux

L'immense sanctuaire de Dendera, un très ancien centre cultuel de Haute Egypte primitivement consacré à la déesse-mère Hathor (ci-dessus), connaît un regain sous les Ptolémées. Ils y édifient un temple à Isis, confondue avec la déesse originelle. Soucieuse de se concilier le puissant clergé égyptien et la masse des fidèles, Cléopâtre procède à Ermant, près de Thèbes, au rite d'intronisation du nouveau taureau Bouchis, incarnation du dieu Montou, protecteur du pharaon (stèle de gauche).

armées se seraient affrontées si un événement imprévu n'était survenu : l'arrivée, le 28 septembre – 48, de Pompée, que les troupes de César viennent d'écraser à Pharsale, en Grèce.

«Un mort ne mord pas» : la mort de Pompée

L'imperator battu, qui erre depuis quarante jours en Méditerranée, se résoud enfin à demander l'hospitalité des enfants d'Aulète. C'était mal compter avec Ptolémée et ses conseillers. Photin et Théodote, après avoir pesé les avantages et les inconvénients qu'il y aurait à l'accueillir, décident la mort pour le Romain : ainsi, César leur serait reconnaissant et Pompée ne pourrait se venger. «Un mort ne mord pas», affirme Théodote.

Trois jours plus tard, le 2 octobre, César arrive en vue de Péluse, escorté de deux légions – 120 hommes – et de 800 cavaliers. Il ignore encore tout du sort de Pompée et reste prudemment à bord de son navire. C'est là que Théodote vient lui apporter, en hommage, la tête de Pompée ainsi que son anneau. César pleura, dit-on, à la vue de ces funèbres témoignages, puis, rassuré par l'attitude égyptienne, il entre officiellement à Alexandrie, précédé de ses licteurs. C'est de lui que dépend maintenant le sort de Cléopâtre.

Une reine dans un faisceau de hardes

C'est en vainqueur que César entre dans la cité. La population, mécontente, se soulève et de nombreux soldats romains sont tués dans des rixes. Avec son habileté coutumière, le Romain parvient à apaiser la foule : il rappelle qu'il est consul, représentant de la

En septembre - 48, César (à droite), le nouvel homme fort de Rome, est aux portes d'Alexandrie, que Cléopâtre a dû fuir. Pompée (à gauche) vient d'être assassiné traîtreusement sur ordre de Ptolémée XIII, le frère-époux de la reine auprès de qui il croyait trouver refuge. César n'a plus de rival en Orient.

«Il eut pour maîtresse des reines, entre autres celle de Mauritanie [...], mais sa plus grande passion fut pour Cléopâtre» (Suétone). Fin lettré, amateur d'art et grand capitaine, César, qui a alors cinquante-quatre ans, est aussi un séducteur célèbre. Sa rencontre secrète avec la jeune femme est déterminante : au-delà de la passion, leurs intérêts concordent. Mais s'il a tout à gagner à passer un accord avec la souveraine d'un Etat tout-puissant, à la richesse légendaire, c'est surtout elle qui a besoin de son appui pour retrouver son trône. Un rapport de forces inversé dans ce tableau de Gerôme, où César apparaît totalement dominé par la reine.

légalité romaine, et affirme qu'il est le promoteur du traité qui a reconnu la souveraineté d'Aulète. Il va donc régler le conflit qui oppose Cléopâtre et son frère et il convoque les deux parties. Photin, immédiatement, ramène Ptolémée à Alexandrie mais il se garde bien de dissoudre l'armée égyptienne qu'il laisse à Péluse, sous le commandement d'Achillas.

Cléopâtre, plus méfiante, envoie plusieurs émissaires à César pour s'assurer de ses bonnes dispositions. Puis, si elle accepte de se rendre à Alexandrie, c'est secrètement et en pleine nuit, dissimulée «dans un faisceau de hardes» (un tapis selon certains) – elle a tout à craindre des espions de son frère. César a alors la stupéfaction de découvrir la jeune reine d'Egypte, entrée clandestinement dans ses appartements.

Au petit matin, César fait mander le jeune Ptolémée qui, à la vue de sa sœur aux côtés

"Prenant avec elle Apollodore, [... elle] se mit dans un petit bateau sur lequel elle vint aborder au château d'Alexandrie, la nuit étant toute noire. N'ayant aucun moyen d'y entrer sans être reconnue, elle s'étendit sur un faisceau de hardes, qu'Apollodore plia et lia avec une grosse courroie, puis le chargea sur son cou et la porta ainsi à César."
Plutarque

Maintes fois traitée au cinéma, l'entrée de la jeune femme au palais d'Alexandrie est prétexte à des mises en scène spectaculaires.

Tandis que Ptolémée XIII est toujours retenu prisonnier au palais et que Photin, qui a tenté de faire empoisonner César, est exécuté, Arsinoé, elle, est parvenue à s'évader. Elle rejoint le camp des Egyptiens, avec son père nourricier, l'eunuque Ganymède, qui prend la tête de l'armée, après avoir fait mettre à mort son allié Achillas. Les Egyptiens, qui ont réussi à se constituer une flotte et se sont emparés de l'île de Pharos, encerclent le palais royal. Après une bataille difficile, César parvient à se rendre maître de l'île. Mais, alors que ses hommes échafaudent des digues pour relier Pharos au continent, une bagarre formidable se déclenche, semant la panique chez les légionnaires qui s'enfuient dans le plus grand désordre.

du Romain, est pris d'une violente colère, jette son diadème à terre et sort du palais en hurlant à la trahison. L'émeute est évitée de peu : César convoque le peuple et lui lit le testament d'Aulète, dont il se présente comme l'exécuteur. Il affirme sa bienveillance à l'égard de l'Egypte, son désir de réconcilier les souverains et va même jusqu'à promettre de rendre l'île de Chypre, qui serait gouvernée par Arsinoé et Ptolémée le cadet. Un grand banquet fête l'accord du frère et de la sœur.

Le trio mène alors une vie curieuse. César s'installe à Alexandrie, occupé par les cours de philosophie et les conférences scientifiques, les visites de la ville et l'amour de Cléopâtre. La jeune femme occupe de nouveau son trône dans le palais royal, près de l'amant qui la protège désormais. Ptolémée XIII vit auprès d'eux, en otage plus qu'en souverain.

Alexandrie en flammes

Mais le jeune pharaon mène, avec Arsinoé et Photin, une sourde guerre d'intrigues contre sa sœur et le Romain. A grand renfort de calomnies, ils provoquent l'animosité des Alexandrins. Et à la fin octobre – 48,

sur leur ordre, Achillas, resté à Péluse, marche sur Alexandrie à la tête de 20 000 fantassins et 2 000 cavaliers. César et Cléopâtre tentent une négociation. En vain.

Tandis que Cléopâtre et César sont retranchés dans le palais royal, où ils retiennent Ptolémée XIII, l'armée d'Achillas occupe le reste de la cité et cherche à s'emparer du Grand Port, où mouillent 72 navires de guerre égyptiens et 50 trières romaines. Pour éviter que l'ennemi s'en

empare, César décide de brûler les vaisseaux. L'incendie, immense, gagne les quais, dévore les bâtiments et les greniers à blé pour s'attaquer enfin à la grande bibliothèque qu'il détruit entièrement. La bataille fait rage. On s'affronte dans les rues, on abat les maisons pour dresser des barricades, des tours…

L'affrontement gagne bientôt la mer, faisant alterner succès et revers. Après plusieurs mois de combat, César, aidé par l'incompétence militaire de Ptolémée et l'arrivée de renforts, met enfin en déroute les Egyptiens, les repoussant vers le Nil, où ils se noient par centaines.

César se réfugie sur une petite barque qui, bientôt, croule sous le nombre des assaillants. Il échappe à la mort au prix d'une fuite éperdue à la nage vers le navire le plus proche. Forts de ce succès, les Alexandrins réclament Ptolémée. Et César le leur rend bien volontiers, persuadé que cela ne pourrait que les desservir. Il avait vu juste. Ganymède est chassé sur-le-champ pour laisser place au souverain, incompétent en matière militaire. Les Alexandrins sont alors battus sur mer. En mars - 47, à la tête d'une armée grossie de troupes envoyées par Mithridate de Pergame, César marche vers le camp de Ptolémée. L'imperator, une fois de plus, a vaincu.

Nombre d'auteurs anciens, à commencer par César, taisent l'incendie de la bibliothèque, il est vrai peu à l'avantage de l'imperator. Antoine la reconstituera en partie, offrant 200 000 livres pris à Pergame, mais on n'a plus trace d'elle à partir du IVe siècle ap. J.-C.

"[César] s'aperçut qu'elle était femme d'intelligence [...] et quand il eut connu sa douceur et sa bonne grâce, il en fut bien plus épris encore [...]. Alors il établit [...] Cléopâtre reine d'Egypte .**"**

Plutarque

Sur cette toile du XVIIe siècle, Pierre de Cortone représente de façon traditionnelle César (au centre), la tête ceinte de lauriers et dans son manteau pourpre de général, menant au trône une jeune Cléopâtre presque soumise, sous le regard irrité d'Arsinoé (à droite), évincée ainsi définitivement de la place qu'elle avait tenté d'occuper. A gauche, les deux fidèles servantes, Iras et Charmion; à l'arrière-plan, des soldats, sans doute des légionnaires que César laissa à Alexandrie pour protéger la reine.

Parmi eux se trouve le jeune pharaon, dont on retrouve le corps enfoncé dans la vase, reconnaissable à sa cuirasse d'or.

César rapporte triomphalement la cuirasse dans Alexandrie où la foule, en vêtements de deuil, prosternée, implore sa clémence. C'est le 27 mars –47 ; l'amant de Cléopâtre est le maître de l'Egypte.

Le triomphe de Cléopâtre

La jeune femme retrouve son trône. Elle a vingt-deux ans. Veuve, elle se remarie avec son second frère, Ptolémée

Au printemps - 47, César et Cléopâtre remontent le Nil avec un cortège de quarante navires. Le peu de précisions donné par les Anciens sur cet épisode enflamme l'imagination de la postérité. Autant qu'une escapade d'amoureux, il faut sans doute y voir une tournée politique, destinée à montrer au pays entier la nouvelle souveraine, triomphante, soutenue par la puissance de Rome.

le cadet, qui devient Ptolémée XIV. Mais le nouveau pharaon n'a qu'une dizaine d'années et c'est encore à Cléopâtre que reviennent les rênes du pouvoir. Arsinoé est envoyée en prison à Rome. César met en place à Alexandrie une garde romaine de trois légions qui ont pour mission de protéger la reine. Il prend des mesures pour pacifier la capitale et accorde le droit de cité aux Juifs alexandrins qui l'ont soutenu lors du conflit.

Au printemps 47, l'imperator accompagne Cléopâtre dans un long voyage sur le Nil à

"Avec [...] cet amour extrême du vrai qui m'habite, je souhaite avant tout connaître les origines ignorées si longtemps de ce fleuve [le Nil] et sa source inconnue.**"**

Lucain

Pour César, il s'agit aussi d'un voyage d'études : après les vaines recherches du roi Cambyse et d'Alexandre, il est curieux de voir les mystérieuses sources du Nil, qu'on ne découvrira qu'au XIXe siècle. Lucain raconte que le Romain aurait discuté la moitié de la nuit avec le sage alexandrin Acorée sur cette question.

bord d'un luxueux navire de plaisance. Escapade d'amoureux ou, plus encore, voyage politique destiné autant à «reconnaître» le pays qu'à lui montrer ses maîtres ? Cléopâtre est enceinte quand, au mois de mai, César part enfin pour entamer une foudroyante campagne de conquêtes en Orient, au cours de laquelle il prononcera le célèbre «Veni, vidi, vici», «Je suis venu, j'ai vu, j'ai vaincu».

Un fils pour César ?

Le 23 juin – 47, Cléopâtre accouche de son premier enfant, un garçon qui reçoit le nom de Ptolémée César et que la foule alexandrine aura vite fait d'appeler Césarion. Nul doute que César, au courant, ait laissé nommer l'enfant de cette façon. Cléopâtre fait fondre des monnaies où elle apparaît en Isis-Aphrodite tenant dans les bras un Horus-Eros. Elle fait décorer les parois du temple d'Ermant, près de

Thèbes, d'une scène célébrant la venue au monde de l'enfant : elle est représentée aux côtés d'Amon, tandis que les dieux président à la naissance de l'enfant divin ; les prêtres affirment avec zèle que le jeune Césarion a été, en fait, engendré par le dieu Amon-Râ, qui a pris la forme humaine de César.

L'enfant est ainsi légitimé et les traditions égyptiennes sont respectées.

La reine au pied du Capitole

C'est probablement au cours de l'été – 46 que Cléopâtre quitte l'Egypte, où son pouvoir est désormais bien assis, pour gagner Rome et retrouver César. Elle y emmène son jeune enfant et son époux-potiche. Sans doute assiste-t-elle au quadruple triomphe que l'imperator organise cette année-là pour fêter ses victoires sur les Gaules, l'Egypte, le Pont et l'Afrique. Les spectateurs voient défiler, parmi la foule des prisonniers et la masse des trésors, les effigies des traîtres Photin et Achillas, les statues du Nil et du Phare ainsi que la jeune Arsinoé, couverte de chaînes. La nuit venue, César descend du Capitole, précédé de quarante éléphants portant des torchères allumées. Les soldats ne se privent pas, à leur habitude, de lancer des quolibets à leur général et de railler ses bonnes fortunes amoureuses. César ne s'en formalise pas, il sait bien que les légionnaires disent tout haut, et avec le sourire, ce que bien des citoyens pensent tout bas, et avec hargne.

En effet, la grogne monte vite contre l'«Egyptienne» qui symbolise, aux yeux des Romains, les dangers de la royauté alliés à ceux de la luxure orientale. César n'est-il pas marié à une respectable romaine, Calpurnia, qu'il a épousée en – 49 ? Cicéron est le plus bel exemple de cette hostilité : venu, parmi les flatteurs, présenter ses hommages à la reine sous

❝César lui permit de donner son nom au fils qui lui était né. Quelques écrivains grecs ont prétendu que ce fils ressemblait à César par son physique et sa démarche.**❞**

Suétone

L'enfant qui naît peu après que César eut quitté l'Egypte est-il ou non le fils de l'*imperator*? Dès l'Antiquité, on s'interroge. Certains – Romains, pour la plupart – prétendent qu'il n'est qu'un bâtard de la reine. Cléopâtre lui donne le nom de Ptolémée Césarion et se fait représenter avec lui sur des bas-reliefs à Dendera et à Ermant : soucieuse de le faire légitimer par le clergé égyptien, elle tire parti de son identification avec Isis et de celle de tout pharaon vivant avec Horus, le fils de la déesse. A Ermant (à gauche), un bas-relief du *mammisi* (la «maison de naissance») figure la naissance d'Horus, protégé par le scarabée sacré et entouré d'une multitude de dieux parmi lesquels elle prend place. A Dendera (au centre), Césarion présente une offrande à Isis-Cléopâtre. Les statues d'Isis portant l'enfant Horus, dit Harpocrate, entretiennent la confusion avec le couple Cléopâtre-Césarion.

prétexte de se faire prêter un volume savant, il s'est mal remis de la désinvolture avec laquelle celle-ci l'a traité. Il ne cessera désormais de l'attaquer dans sa correspondance privée, affirmant que «tout le mal

vient d'Alexandrie». César avait pourtant bien pris soin d'installer Cléopâtre en dehors du périmètre de la cité, de l'autre côté du Tibre, dans les somptueux jardins où il possède une villa.

César brave, plus encore, l'opinion publique : il rend un hommage officiel à la reine en faisant placer une statue en or de Cléopâtre-Vénus dans le temple de Vénus Genitrix. Vénus, en effet, est non seulement la déesse tutélaire du peuple romain mais aussi celle dont César réclame l'illustre ascendance pour sa famille, celle des Iulii. Il associe ainsi une souveraine orientale divinisée et une ancestrale déesse nationale. Souhaite-t-il, pour lui-même, une royauté de type hellénistique ?

A nouveau seule : les ides de mars 44

Les pouvoirs de César ne cessent de s'accroître : en 46, il devient dictateur pour dix ans, consul pour dix ans et préfet des mœurs pour trois ans. En février – 44, le Sénat le nomme dictateur perpétuel. La rumeur court qu'il veut être roi, mais lorsque, à la cérémonie

C'est en pleine séance du Sénat que César est assassiné le 15 mars – 44 par des conjurés républicains, parmi lesquels Brutus, sans doute son fils naturel. A sa vue, s'écriant «Toi aussi, mon fils !», il cesse de se débattre, «lui qui se démenait entre leurs mains comme la bête sauvage acculée par les veneurs. On dit qu'il reçut vingt-trois coups d'épée» (Plutarque).

des Lupercales du 14 février – 44, Antoine lui présente une couronne, il la refuse ostensiblement trois fois. Ce refus ne convaincra pas ses opposants de renoncer à l'assassinat qu'ils préméditent : un mois plus tard, le 15 mars – 44, jour des ides, lors d'une réunion du Sénat à la Curie, des conjurés frappent César à mort, au pied de la statue de Pompée. Cléopâtre vient de perdre son puissant allié : il ne lui reste plus qu'à quitter rapidement la capitale italienne. Elle s'embarque pour Alexandrie avec son époux et son enfant. Ce dont Cicéron se réjouit :

«La fuite de la reine ne m'est pas désagréable», écrit-il le 15 avril à son ami Atticus.

" Je hais la reine, [...] l'orgueil de cette reine, quand elle était de l'autre côté du Tibre, dans ses jardins, je ne peux me le rappeler sans une immense douleur.**"** Cicéron

Fervent défenseur de la République, Cicéron (ci-dessus), qui déteste Cléopâtre et la royauté orientale autant qu'il hait César, n'a pourtant pas pris part à la conjuration. «Les conjurés eurent peur de sa nature qui manquait de hardiesse et de son âge», dit Suétone.

Les difficultés attendent Cléopâtre à son retour de Rome : un usurpateur aux ordres d'Arsinoé se fait passer pour Ptolémée XIII, semant la confusion ; en – 42 et en – 41, des crues insuffisantes du Nil provoquent famine et peste. Mais c'est surtout la situation internationale qui préoccupe la reine : à Rome, Antoine et Octave s'affrontent pour la succession de César. Quel sera la politique égyptienne du vainqueur ?

CHAPITRE III

SOUVERAINE EN ORIENT

"Je ne serai pas la première femme qui ait dominé sur les cités du Nil ; sans discrimination [...], Pharos sait obéir à une reine."

Lucain

Ptolémée XIV meurt et le petit Ptolémée César devient pharaon au côté de sa mère. Cléopâtre est à nouveau seule à la tête du pays.

Rome déchirée : la prudence de Cléopâtre

Depuis la mort de César, l'Italie est en pleine crise. Deux ambitieux s'affrontent pour sa succession à la tête de la puissance romaine : Antoine, le consul en titre, et Octave, désigné par César comme son héritier légal. La guerre civile se déchaîne, Antoine est battu à Modène le 21 avril – 43. Mais une opposition au régime en place s'organise à l'étranger autour des «républicains», responsables de la mort de César, qui se sont réfugiés avec leur armée en Orient : Brutus est en Macédoine et Cassius, en Syrie, affronte le général «césarien» Dolabella. Le conflit italien se rapproche de l'Egypte. Cléopâtre agit alors avec la plus grande prudence. Elle refuse tout appui aux «républicains» dont elle a tout à craindre,

Le bouillant consul Antoine (à gauche), familier du dictateur assassiné, soutenu par ses troupes et jouissant d'une grande popularité, semble le maître de la situation. En face, Octave (à droite), le petit-neveu de César, désigné par son testament comme héritier légal, bénéficie du soutien de Cicéron et d'une bonne partie des sénateurs. Suétone dit de lui : «Ses yeux étaient brillants [...], il voulait même faire croire qu'il y avait dans son regard comme une autorité divine et, quand il le fixait sur quelqu'un, il aimait à lui faire baisser la tête.»

bien que les légions romaines installées à Alexandrie se soient jointes à Cassius. Et, malgré des déclarations laissant entendre qu'elle apporterait son aide aux «césariens», elle ne fait en réalité parvenir à Dolabella ni flotte, ni hommes, ni vivres.

Sur le sol italien, Octave prend de plus en plus de pouvoir. Mais Lépide, l'ancien maître de cavalerie de César, et les provinces occidentales, ont rejoint le camp d'Antoine. Plutôt que de voir le pouvoir lui échapper, Octave préfère passer un accord avec son adversaire. Le 23 novembre, la *Lex Titia* officialise cette entente pour cinq ans : le second triumvirat vient d'être créé, qui regroupe Antoine, Octave et Lépide. L'alliance est scellée dans le sang à la fin de l'année : les massacres des proscriptions, qui visent à éliminer tous les opposants, entraînent la mort de centaines de chevaliers et de

Plus âgé d'une vingtaine d'années, ayant derrière lui une longue carrière militaire et politique, Antoine ne ressemble en rien à Octave, le «petit jeune de dix-huit ans» (selon le mot de Cicéron), chétif, calculateur et froid. D'un naturel passionné et généreux, avide de plaisirs, provocateur, il aime s'entourer avec désinvolture de compagnons de fête sans grand sens moral ; mais sa franchise et sa loyauté le feront toujours adorer de ses soldats. Il passe de la plus grande énergie lorsque la situation exige de lui décisions et actions rapides à la nonchalance et au laisser-aller qu'accompagne parfois un profond désarroi – cette instabilité éclaire peut-être son goût pour les femmes volontaires. Philhellène comme bien des Romains cultivés, il excelle aussi bien aux exercices du stade qu'à l'éloquence dite asiatique, dont les ornements et l'emphase provoquent l'enthousiasme des foules.

Les tueries atroces qui marquèrent les proscriptions ordonnées par Antoine et Octave symbolisèrent longtemps l'horreur des guerres civiles.

sénateurs. Parmi eux, Cicéron, coupable d'avoir écrit quatorze véhémentes *Philippiques* contre Antoine. Ce dernier fait couper la tête et les mains de l'avocat pour les exposer au tribunal des Rostres, tandis que sa femme, Fulvie, lui perce, dit-on, la langue de son épingle à cheveux.

La tournée triomphale d'Antoine en Orient

L'armée des triumvirs, conduite par Antoine, écrase définitivement celle des «républicains» à Philippes, en Grèce, en octobre – 42. Cassius et Brutus se suicident tandis qu'on exécute tous les prisonniers de marque dans une tuerie que le poète Lucain nommera «le bûcher du peuple romain».

Antoine entame alors une grandiose tournée en Orient : il faut imposer l'ordre triumviral dans cette région du monde qui accueillit les «républicains», il faut surtout amasser les fonds nécessaires à l'entretien des troupes romaines. La tâche est à la mesure de l'ambition d'Antoine, qui voit là une façon d'asseoir son pouvoir face à celui d'Octave.

C'est avec un réel plaisir qu'il s'engage sur les routes de Grèce et s'arrête à Athènes, où il étudia autrefois la rhétorique. Il y séjourne un moment et s'y fait initier aux mystères d'Eleusis. Puis il gagne l'Ionie. A Ephèse, cité alliée, il est fêté comme «le nouveau Dionysos» qu'escorte, au son des flûtes et des harpes, un cortège de Bacchantes, de Satyres et de Pans. Il y mène joyeuse vie... sans oublier d'exiger tributs et impôts exorbitants. Il se rapproche peu à peu de l'Egypte et de Cléopâtre :

il traverse la Mysie, la Bithynie, la Phrygie et la Cappadoce ; il règle la question de Judée en nommant tétrarques du pays, malgré l'opposition de la population, son ami l'Iduméen Hérode ainsi que son frère Phasaël. Il s'arrête enfin en Cilicie.

"Elle s'en allait vers Antoine, à l'âge où les femmes sont en la fleur de leur beauté et en la force de leur intelligence.**"**

Plutarque

Entretien diplomatique, l'entrevue d'Antoine et Cléopâtre à Tarse est d'abord celle de deux puissances politiques. Mais la reine met tout en œuvre pour séduire le général romain dont dépend le sort de l'Egypte.

Antoine se réclame de l'ascendance d'Hercule (ci-dessous), symbole de force, de courage et de vertu. Il s'assimile à Dionysos,

La rencontre de Tarse : Cléopâtre-Aphrodite et Antoine-Dionysos

En – 41, Antoine, qui a mouillé sa flotte à Tarse, à l'embouchure du Cydnos, convoque Cléopâtre pour qu'elle lui rende compte de l'appui qu'ont apporté les légions romaines d'Alexandrie à Cassius. Mais ce n'est qu'un prétexte. Il a probablement envie de retrouver cette reine prestigieuse, et surtout, il veut savoir s'il peut compter sur son appui militaire et financier. Il envisage en effet, comme l'avait fait César, une expédition contre les Parthes, dont l'armée conquérante est parvenue jusqu'en Judée et menace les protectorats romains de la région. Il rêve d'une

qu'on honorait par des cortèges joyeux de silènes, de ménades, de satyres... (à gauche). Héros et dieu que les Ptolémées présentaient aussi comme leurs ascendants.

❝Elle ne mit d'espérance et de confiance en rien autant qu'en elle-même, aux séductions et enchantements de sa beauté et de son charme. [...] Quand elle fut descendue à terre, Antoine l'invita à souper; mais elle lui fit dire qu'il valait mieux que lui, plutôt, vînt chez elle. Il trouva un festin si grand et si exquis qu'il n'est pas possible de bien le décrire mais, entre autres choses, ce qui l'émerveilla fut la multitude de lumières et de flambeaux.❞

Plutarque

L e récit romanesque où Plutarque décrit la rencontre d'Antoine et Cléopâtre fournira aux peintres d'inépuisables sujets d'inspiration. Jean-Baptiste Tiepolo (XVIIIᵉ siècle) consacre à ce thème deux fresques du palais Labia, à Venise. Sur l'une (à gauche), Antoine s'empresse auprès de Cléopâtre, qui descend de sa somptueuse galère. Sur l'autre (à droite), la reine, lors du banquet magnifique qu'elle organise, subjugue le Romain en s'apprêtant à faire dissoudre une énorme perle dans du vinaigre. Ce détail qui contribua à forger le mythe, absent chez Plutarque, est fourni par Pline l'Ancien.

victoire éclatante contre ces ennemis traditionnels des Romains.

Cléopâtre, elle, a tout intérêt à passer un accord avec celui dont la gloire grandit en Orient. Elle se fait pourtant attendre et ce n'est qu'après plusieurs lettres pressantes qu'elle accepte de se déplacer.

Le bruit court alors que c'est Aphrodite-Anadyomène qui descend le cours du Cydnos pour rendre visite à Dionysos. Cléopâtre a imaginé une arrivée spectaculaire que raconte Plutarque : on voit s'avancer «un navire à la proue dorée, gréé avec des voiles de pourpre et des avirons d'argent, le mouvement des rames est cadencé aux sons des chalumeaux et des cithares. La reine, elle-même, parée telle qu'on peint Aphrodite, est couchée sous un pavillon tissé d'or et des enfants ressemblant aux Amours des tableaux, debout à ses côtés, jouent de l'éventail. Des servantes de toute beauté, costumées en Néréides et en Grâces, sont, les unes au gouvernail, les autres aux cordages. Des senteurs exquises, qu'exhalent nombre de cassolettes, parfument les rives».

A Antoine qui la convie à dîner sur son navire, Cléopâtre répond par une invitation sur son luxueux vaisseau. Là, elle lui offre un somptueux banquet, illuminé par une multitude de flambeaux. Les festins se succèdent pendant quatre jours, plus splendides les uns que les autres. La jeune reine a vingt-huit ans, est «à l'âge où les femmes sont en la fleur de leur beauté et en la force de leur intelligence», commente encore Plutarque. Antoine, lui, a quarante-deux ans : avide de plaisirs, il est dans toute sa gloire de général victorieux. Leur entente est immédiate et Cléopâtre obtient rapidement qu'Arsinoé soit mise à mort ainsi que le pseudo-Ptolémée XIII. Ainsi débarrassée de ses rivaux, elle repart en Egypte pour y attendre Antoine.

❝Antoine se laissa emporter en Alexandrie [par Cléopâtre]. Là, ils firent une bande qu'ils appelèrent *amimétobion*, ou vie inimitable.**❞**

La vie inimitable

Antoine arrive à Alexandrie pour y passer l'hiver – 41. Il y restera un an, à fréquenter les gymnases et les salles de conférence, à visiter monuments et sanctuaires. Il vit en simple particulier, mais a renoncé à la toge romaine pour revêtir la chlamyde

grecque. La vie qu'il mène avec Cléopâtre se déroule sous le signe des fêtes et des plaisirs. La reine ne le quitte pas : elle l'accompagne à l'escrime, à la chasse, joue avec lui aux dés, lui offre des banquets raffinés dans une vaisselle enrichie de pierres précieuses. Avec un groupe de compagnons, ils forment une sorte de confrérie qui se livre à ce qu'ils nomment la «vie inimitable» – *amimetobion* – dans une joie, une liberté, une ivresse de vivre permanentes : c'est une véritable mystique qu'ils ont érigée en mode de vie, réservée à une élite tant sociale qu'intellectuelle. Cléopâtre en porte le nom gravé dans une bague : *méthé* («ivresse»). Quand la

❝Elle trouvait toujours quelque nouvelle volupté par laquelle elle [...] maîtrisait Antoine, ne l'abandonnant jamais et jamais ne le perdant de vue ni de jour ni de nuit : car elle jouait aux dés, elle buvait, elle chassait [...] avec lui, elle était toujours présente quand il prenait quelque exercice.❞

Plutarque

nuit survient, tous deux vêtus en modestes Alexandrins, ils courent les rues où, bien souvent, ils sont pris à parti par des fêtards.

Mais la reine ne perd pas de vue l'essentiel : elle se charge de rappeler avec humour au Romain qu'elle voit en lui autre chose qu'un aimable compagnon.

A la ligne d'Antoine qui s'amuse à pêcher dans les eaux du lac Maréotis, elle fait un jour accrocher un hareng salé et dit en riant au pêcheur stupéfait : «Laisse-nous, seigneur, à nous autres Egyptiens [...] la ligne ; ce n'est pas ton métier. Ta chasse est de prendre et conquérir villes et cités, pays et royaumes.»

Antoine quitte donc Cléopâtre à la fin de l'hiver – 40, appelé par la situation préoccupante à l'extérieur : les armées parthes occupent le sud de l'Asie Mineure, la Syrie et la Judée, et se font de plus en plus menaçantes. Hérode doit se réfugier à Rome. Six mois après le départ d'Antoine, la reine mettra au monde des jumeaux : Cléopâtre Séléné («Lune») et Alexandre Hélios («Soleil»).

Antoine, triumvir pour l'Orient

Mais, loin de s'arrêter en Syrie, Antoine cingle vers la Grèce : sa femme Fulvie l'a convoqué à Athènes. Le soulèvement qu'elle a provoqué contre Octave a mal tourné. L'entrevue entre les époux est orageuse et Antoine, furieux, gagne le port de Brindes. Il ne reverra plus sa femme, qui meurt quelques plus tard après. Après des débuts difficiles, il parvient, en octobre – 40, à un accord avec Octave et Lépide : la gestion de l'Orient lui

A Rome, comme en Egypte, les femmes, dont l'émancipation est presque totale en cette fin de Ier siècle av. J.-C., jouent, quoique de façon indirecte, un rôle déterminant dans la vie politique ; se marier c'est s'allier avec une famille. Ainsi, Octave fait épouser à Antoine sa sœur Octavie (à gauche) «qui avait la grâce, l'honnêteté et la prudence, jointes à une rare beauté» (Plutarque). Il épouse en – 38 Livie (en bas), «l'enlevant à son mari T. Néron, quoique enceinte, et lui garda jusqu'au bout une tendresse et une estime sans égales» (Suétone).

revient, tandis que celle de l'Occident échoit à Octave et celle de l'Afrique à Lépide.

Cléopâtre, qui pourrait se réjouir de ce partage du monde, a pourtant toutes raisons de s'inquiéter : Antoine reste à Rome et... s'y remarie. Pour sceller leur accord, Octave lui a donné sa sœur Octavie en mariage. Leur premier enfant, une fille, Antonia Major, naîtra à l'été – 39. Un astrologue égyptien a beau le mettre en garde, Antoine consolide son alliance avec son beau-frère en inaugurant comme flamine le nouveau culte du divin Jules. La paix semble enfin s'installer en Italie et, en – 39, les triumvirs passent l'accord de Misène avec leur dernier grand opposant, le fils de Pompée, Sextus, qui occupe la Sicile.

Plus encore, Rome renforce ses positions aux portes de l'Egypte : Hérode, l'ennemi de Cléopâtre mais l'allié de longue date d'Antoine, a été nommé quelques mois plus tôt par le Sénat roi de Judée, d'Idumée et de Samarie. La reine d'Egypte a en effet bien des raisons de s'inquiéter !

Une entente fragile

A l'automne – 39, Antoine et Octavie cinglent vers Athènes, où ils demeureront jusqu'au printemps – 37. Il y mène la vie qu'il aime, et, nommé gymnasiarque, arbitre officiellement les jeux gymniques. Fêté là aussi comme le «nouveau Dionysos», il est uni dans une cérémonie mystique à la déesse de la cité, Athéna Polias, pendant l'hiver – 39-38. Il offre aux Athéniens fêtes et banquets, payés la plupart du temps avec les tributs qu'il leur extorque.

Pendant ce temps, son armée remporte deux succès contre les Parthes : sa mission de gestion de l'Orient débute sous d'heureux auspices ! Mais les

Si Octave, de santé fragile, répugne aux exercices physiques, Antoine, lui, s'y adonne régulièrement et est un très bon athlète, prenant même plaisir à organiser des concours gymniques, auxquels il participe comme juge et qu'il finance en tant que gymnasiarque, ou chef des jeux.

relations avec Octave, qui a épousé Livie en – 38, se tendent de nouveau. La guerre est évitée de peu grâce à l'intervention apaisante d'Octavie. Durant l'été – 37, Antoine, Octave et Lépide, réunis à Tarente, renouvellent le triumvirat pour cinq ans.

Antoine et Cléopâtre font frapper des médailles à leur effigie, excellent moyen de propagande intérieure et extérieure pour le couple : l'avers représente la reine et le revers le Romain, dont les profils sont traités de façon étrangement similaires.

«Alors, ce mal violent et douloureux, l'amour de Cléopâtre [...] commença à se rallumer»

Brutalement, Antoine quitte l'Italie et sa femme Octavie, qui attend un second enfant. A l'automne – 37, il gagne Antioche, en Syrie. Est-ce l'amour qui le pousse à se rapprocher de Cléopâtre ? Est-ce le besoin de renouer une alliance avec la reine dans la perspective de tenter une grande expédition contre les Parthes ? Cléopâtre le rejoint à Antioche avec les jumeaux. Là, elle s'unit à lui selon le rituel égyptien, qui, contrairement à Rome, admet la polygamie.

La reine d'Egypte fait débuter de ce moment un nouveau décompte de ses années de règne. Elle mène avec Antoine une vie fastueuse dans le quartier de Daphné, célèbre pour ses lauriers et ses cyprès, mais n'en oublie pas pour autant ses ambitions : elle cherche à obtenir du Romain les territoires limitrophes de l'Egypte, la Coélé-Syrie et la Judée. Il ne

lui accordera que le royaume de Chalcis, la côte syrienne, Chypre et quelques domaines épars en Cilicie, en Crète et en Judée. Parmi ceux-ci, la cité de Jéricho, dont le roi Hérode devient en quelque sorte le fermier. Antoine tient à maintenir aux portes de l'Egypte ce vassal et allié de Rome, en dépit – ou peut-être à cause – de l'hostilité que lui voue Cléopâtre.

Une guerre désastreuse contre les Parthes

Fort de l'appui militaire et financier de Cléopâtre, Antoine croit bon d'entamer au printemps – 36 la campagne contre les Parthes. La reine l'accompagne jusqu'à l'Euphrate, puis, en souveraine triomphante, elle prend le chemin du retour vers l'Egypte. Elle passe par Damas puis par la Judée. Hérode tente, dit-on, de l'assassiner mais y renonce et tient à exprimer sa bonne volonté en la raccompagnant jusqu'à Péluse, à la frontière égyptienne. Cléopâtre, qui a visité ses nouvelles possessions territoriales, rapporte de Jéricho des boutures de balsamiers qu'elle fait planter à Héliopolis.

Ils ne se quittent plus guère. Leur union est scellée par la naissance de jumeaux. Antoine «nomme le fils Alexandre et la fille Cléopâtre, les surnommant l'un le soleil (Hélios) et l'autre la lune (Séléné); il disait que la noblesse s'amplifiait et se multipliait chez les hommes par la postérité que les rois laissaient de leur semence en plusieurs lieux». Il a déjà en effet une fille de sa première femme, deux fils de Fulvie et il aura deux filles d'Octavie.

De retour à Alexandrie, elle fait frapper des monnaies pour célébrer sa réussite : Antoine et Cléopâtre y sont représentés en souverains hellénistiques, nouvelles figures d'Aphrodite et de Dionysos, d'Isis et d'Osiris. Mais l'enfant qu'elle met au monde porte bien la marque de son ascendance égyptienne : elle le nomme Ptolémée Philadelphe ; le dernier enfant d'Antoine est un vrai Lagide.

Antoine, pendant ce temps, subit revers sur revers. Il est contraint à une retraite périlleuse au cœur de l'hiver glacé, où les restes de son armée sont décimés par la dysenterie, la famine et les attaques des redoutables archers parthes. Il perd 20 000 fantassins et 40 000 cavaliers. Cette marche lamentable s'achève en Syrie, où le général vaincu attend les secours de Cléopâtre, avec des soldats en haillons dont les malheurs n'ont altéré en rien leur affection pour Antoine : «Tous autant

Aux portes de l'Egypte, Hérode le Grand gouverne le royaume de Judée depuis – 40 : grand bâtisseur et fervent adepte de l'hellénisme, il doit son trône à l'intervention d'Antoine auprès du Sénat (ci-dessous, la maquette d'une de ses forteresses, en Judée).

grands que petits, nobles que roturiers, capitaines que soudards étaient si attachés et dévoués qu'ils préféraient être en bonne estime d'Antoine qu'être en vie et sûreté. [...] La noblesse d'Antoine [...], son éloquence, sa simplicité naturelle, sa libéralité et sa magnificence, sa tendance à jouer en compagnie [...] et le devoir qu'il fit lors en les secourant, visitant et plaignant ceux qui étaient malades, eurent tant d'effet que ceux qui étaient malades et blessés lui demeurèrent mieux attachés et décidés à le servir que ceux qui étaient indemnes», rapporte Plutarque. La reine d'Egypte arrive avec vivres, habits et argent et ramène les survivants à Alexandrie.

Cléopâtre aux relations extérieures

Pendant l'hiver – 35-34, Cléopâtre mène une intense activité diplomatique avec les Etats voisins. Elle commence par

Cléopâtre, elle, est fort hostile à Hérode et, selon Flavius Josèphe, «fit tout ce qu'elle put pour persuader Antoine de faire mourir Hérode». En vain, car l'alliance d'Hérode est fort précieuse à Rome dans cette zone à la frontière incertaine, autant qu'à Antoine, qui a besoin d'un appui local avant d'entamer sa campagne contre les Parthes (ci-dessus, une statuette représentant un guerrier parthe). A l'est de la Syrie et de la Judée, les Parthes sont en effet devenus offensifs depuis l'humiliante et sanglante défaite qu'ils ont infligée, en – 53, au général romain Crassus, entré sur leurs terres.

passer une alliance avec le roi d'Arménie,
sanctionnée par les fiançailles d'Alexandre
Hélios avec la fille du roi. Puis elle prend
fermement position dans le conflit qui,
en Judée, oppose à Hérode la population
asmonéenne, dirigée par la belle-mère d'Hérode,
Alexandra. Elle contraint
même son vieil ennemi à
libérer Alexandra et offre
à celle-ci l'hospitalité.
Enfin, un traité est
conclu avec le roi
des Mèdes contre
les Parthes :

la guerre peut être à nouveau envisagée. Malgré le refus du roi d'Arménie d'apporter son aide, Cléopâtre et Antoine repartent en campagne et gagnent la Syrie.

Les larmes de Cléopâtre

L'inquiétude envahit de nouveau Cléopâtre. A l'Occident, l'horizon s'assombrit : Octave, dont l'ambition semble ne pas avoir de limites, a pris la Sicile à Sextus Pompée et l'Afrique à Lépide ; il reste seul maître de cette partie du monde et se pose en rival dangereux d'Antoine. Plus inquiétant, Octavie, envoyée par son frère, vient de prendre la mer avec vivres et vaisseaux pour renforcer l'armée de son époux.

Cléopâtre met tout en œuvre pour retenir Antoine et l'empêcher de s'engager dans une expédition lointaine. Elle se désole, pleure, cesse de se nourrir : «Toutes les fois qu'[il] entrait chez elle, il lui trouvait l'air égaré et, quand il la quittait, l'air alangui et affaissé» (Plutarque). Est-ce là comédie ? Toujours est-il qu'elle parvient à ses fins et la rupture s'amorce entre Antoine et Octave. Antoine fait alors savoir à Octavie qu'il refuse de la rencontrer et la renvoie à Rome pour, lui, regagner Alexandrie avec Cléopâtre.

Si les orientalistes du XIXe siècle représentent dans des parures exotiques d'Egyptienne antique (mais dans un décor modern style) une Cléopâtre inquiète et songeuse, surprise dans son intimité, cette tête trouvée à Alexandrie nous la montre coiffée, à la mode compliquée des Alexandrines, de fines tresses surmontées d'un haut chignon.

Un triomphe à la romaine ?

Le désastre contre les Parthes est en partie effacé par une rapide campagne contre le roi d'Arménie, Artavasde, qui avait trahi Antoine à plusieurs reprises. Au printemps – 34, Antoine qui s'est installé en Syrie, passe, malgré Cléopâtre, un nouvel accord avec Hérode. Puis il occupe l'Arménie, fait prisonnier son roi, s'empare de ses richesses et déclare le pays province romaine. De retour en Syrie, il conclut une alliance avec le roi des Mèdes.

Le palais pharaonique d'Alexandrie est considérablement enrichi et embelli grâce au butin

arménien et la capitale égyptienne voit, à l'automne – 34, une cérémonie somptueuse destinée à fêter la victoire. Un immense cortège traverse la cité pour aboutir à la place du Serapéion.

Cléopâtre, vêtue en Isis, siège sur un trône d'or; devant elle, le char où se tient le général victorieux, vêtu en Dionysos, précédé du roi d'Arménie et de sa famille chargés, en égard à leur rang royal, de chaînes d'argent; trophées et butins viennent ensuite. Un gigantesque festin offert aux soldats et à la population clôt cette journée.

Les «donations d'Alexandrie»

Quelques jours plus tard, la foule alexandrine, réunie dans un immense gymnase, assiste à un prolongement de la cérémonie triomphale. Antoine et Cléopâtre, assis sur des trônes d'or placés sur une estrade d'argent, président l'assemblée tandis que, sur des trônes plus bas, se trouvent le roi Ptolémée, dit Césarion, âgé de treize ans, et les trois enfants du couple : les jumeaux qui vont avoir sept ans, Cléopâtre Séléné et Alexandre Hélios vêtu du

La capitale égyptienne a coutume d'assister à de somptueuses processions, les Ptolémaia, organisées par les souverains Lagides dans un but évident de propagande politique. Les victoires militaires sont un motif parfaitement approprié à ces fastueuses fêtes. Cléopâtre et Antoine ne se font pas faute d'organiser une de ces cérémonies en – 34 : devant la foule émerveillée, sur le sol jonché de fleurs, au son des flûtes et des chœurs, dans un nuage de parfums suaves, défile, parmi des œuvres d'art, le long cortège des rois morts et des dieux.

costume des rois mèdes – la robe brodée et la haute tiare ornée de plumes de paon –, ainsi que Ptolémée Philadelphe, âgé de deux ans, portant, comme un roi macédonien, la chlamyde pourpre, la toque royale et des petites bottes.

Antoine prononce un discours, vraisemblablement en grec, qui répartit les territoires dépendants de l'Egypte et ceux qu'il a conquis. Le couple pharaonique – Cléopâtre, nommée Reine des Reines, et Césarion, nommé Roi des Rois – reçoit l'Egypte, la Coélé-Syrie et Chypre. A Alexandre échoient l'Arménie, la Médie... et la Parthie à conquérir ; à Cléopâtre Séléné, la Libye et la Cyrénaïque ; à Ptolémée II Philadelphe, la Syrie septentrionale, la Phénicie et la Cilicie. Tout revient, pour le moment à Cléopâtre, seule apte à gérer ces royaumes.

C'est le retour à la grande Egypte des premiers Ptolémées. Mais cet Etat monarchique dirigé par Cléopâtre est placé sous la dépendance de l'Etat romain, dans un lien manifeste de vassalité. La propagande octavienne aura beau jeu, néanmoins, d'exploiter une interprétation défavorable de cette cérémonie, affirmant qu'Antoine a voulu mettre aux mains de sa dangereuse maîtresse orientale un vaste royaume rival de l'Italie.

Peu après la procession, Antoine, devant la foule assemblée, fait donation à Cléopâtre et à ses enfants de l'Egypte et de la majeure partie des territoires d'Orient.

Cléopâtre n'a pas trente-cinq ans. Jamais ses pouvoirs n'ont été si grands. A Rome, Octave ne peut tolérer l'expansion de cette puissance à laquelle participe son allié d'hier. Chacun fourbit ses armes. L'affrontement paraît inévitable.

CHAPITRE IV
LE CHOC DE DEUX EMPIRES

"Cléopâtre, [...] dont l'impureté a fait le malheur de Rome, fit de son sistre trembler le Capitole [...], une femme qui n'était même pas de notre race [...]. Ce qui lui donna cette audace, c'est la première nuit qu'elle passa dans le lit de nos chefs, l'incestueuse fille des Ptolémées."
Lucain, *Pharsale*

Tandis qu'au Sénat, cœur politique de Rome, s'affrontent avec violence les orateurs favorables ou hostiles à Antoine, Cléopâtre continue de mener en Orient sa vie avec lui.

"Comme nous voyons les peintures où secrètement Omphale ôte la massue à Hercule et lui enlève sa peau de lion, aussi souvent Cléopâtre désarmait Antoine et l'attirait à soi."

Plutarque

Tandis que Cléopâtre consolide l'alliance avec le roi des Mèdes, qui fournit à l'armée égyptienne un corps de cavaliers, à Rome, Antoine et Octave se livrent à une guerre de propagande de plus en plus âpre, qui atteint son paroxysme en − 32.

Agrippa, l'homme de confiance d'Octave, chasse de la ville tous ceux qui sont suspects d'espionner pour le compte de la reine, tous les mages et astrologues étrangers. Octave lui-même avait commencé à mettre en place les éléments d'un culte en son honneur en plaçant dans son domaine privé du Palatin un temple d'Apollon, comme une réponse à la mystique d'Antoine-Dionysos-Osiris qui se développait à Alexandrie. Antoniens et octaviens s'affrontent par pamphlets et discours interposés. Tous les arguments sont

bons. On fait courir le bruit que Césarion n'est pas le fils de César, qu'Antoine se livre avec Cléopâtre à des orgies, qu'il est devenu un monarque oriental, sous la coupe d'une magicienne. Les deux hommes échangent une correspondance hargneuse où affluent reproches et injures.

Aux critiques d'Octave, Suétone rapporte qu'Antoine répond un jour brutalement : «En quoi cela t'a-t-il troublé que je couche avec la reine ? N'est-elle pas ma femme ? Cela ne fait-il pas neuf ans que cela dure ? Et toi, ne couches-tu qu'avec Drusilla [Livie]?» A la rumeur qu'il est toujours pris de boisson, il répond par un discours, «Sur son ébriété», malheureusement perdu.

La rupture

Antoine veut cependant éviter le conflit armé. Il tient à rester dans la légalité et désire faire reconnaître officiellement par le Sénat sa gestion de l'Orient. Il envoie donc ses *acta*, ou comptes rendus, à Rome à la fin de l'année – 33. Deux de ses partisans, Sosius et Ahenobarbus, consuls pour – 32, vont les lire avec fougue devant les sénateurs en février de cette année.

Octave, qui s'est prudemment entouré d'un groupe d'amis et de soldats armés de poignards, réplique avec violence. Quelques jours plus tard, au cours d'une nouvelle séance, il dénonce les «donations d'Alexandrie». Les antoniens décident alors, devant l'hostilité grandissante des Romains, de quitter l'Italie pour rejoindre leur chef à Ephèse. La rupture est consommée.

Cléopâtre maîtresse en Orient

Dès le printemps – 32, Cléopâtre s'est en effet installée avec Antoine à Ephèse. Ils y concentrent une puissante armée navale et terrestre. Cléopâtre y fait figure de souveraine, escortée d'une garde de soldats romains dont les boucliers sont marqués à son chiffre. Accompagnée d'Antoine, elle rend la justice, préside aux réunions et aux revues. On la voit traverser la ville à cheval ou en litière que, dit-on, il suit parfois à pied. Comme tous les conquérants, elle s'empare des richesses de la région pour les transférer à Alexandrie, des 200 000 *volumina* de Pergame comme des statues et des objets d'art – notamment l'Apollon d'Ephèse ou l'Ajax de Rhoeton, en Troade.

Ses pouvoirs choquent même les antoniens, qui demandent son renvoi en

Faut-il croire en la fidélité d'Antoine envers Rome ou suivre Octave dans ses attaques contre son adversaire et «l'Egyptienne»? Les sénateurs (ci-contre, un consul) restent indécis. En Orient, Cléopâtre et Antoine mettent en place une gigantesque armée dans les cités alliées, Ephèse, Samos et Athènes (ci-dessus, l'Artemision d'Ephèse; ci-dessous, reconstitution de Pergame, rivale en splendeur d'Alexandrie).

Egypte ; seul le Romain Canidius la défend : il a compris que la présence de la reine s'explique autant par le désir qu'elle a de veiller à ses propres affaires que par le besoin qu'a Antoine des richesses et de l'armée égyptiennes pour tenir l'Orient. Il rappelle la sagesse de la reine qui a «longtemps gouverné seule un si grand royaume».

En avril, Antoine et Cléopâtre quittent Ephèse, devenue une forte base militaire, pour Samos, où ils mêlent fêtes et préparatifs stratégiques. Puis c'est Athènes, en mai, dont les habitants les accueillent avec empressement : leurs statues divinisées sont placées sur l'Acropole. Au début de l'été, Cléopâtre obtient une grande victoire : Antoine répudie Octavie, qui doit quitter sa maison de Rome.

D'excellents amis d'Antoine rallient alors l'ennemi ; parmi eux, Plancus et Titius, qui sont au courant de tous ses secrets. Ils révèlent à Octave l'existence du testament d'Antoine, confié à la garde sacrée des

❝Antoine commanda à Canidius de descendre vers la côte, avec 16 légions [...] et il alla avec Cléopâtre à Ephèse, là où on assemblait pour lui ses galères et navires [...], dont Cléopâtre fournissait 200, ainsi que 20 000 talents et des vivres pour nourrir toute l'armée pendant cette guerre. [...] Ayant ainsi joint leurs forces, ils firent voile vers Samos où ils firent des festins et se divertirent : car, de même qu'on avait demandé à tous les rois, princes, peuples et cités [...] d'envoyer [...] tous les équipements et munitions nécessaires à la guerre, de même on leur avait ordonné d'envoyer à Samos des amuseurs, musiciens, comédiens, bateleurs...❞ Plutarque

Vestales. Sans craindre le sacrilège, Octave s'en empare et le lit au Sénat : «Antoine y affirmait sous serment, dit Dion Cassius, que Césarion était réellement le fils de César, faisait des présents considérables aux enfants de l'Egyptienne élevés par lui et demandait à être enseveli à Alexandrie, et aux côtés de Cléopâtre.»

Déclaration de guerre à l'Egyptienne

C'est surtout la dernière clause du testament qui provoque l'immense colère des Romains, savamment exploitée par Octave. Antoine est démis de tous ses pouvoirs et Octave accomplit une spectaculaire déclaration de guerre contre Cléopâtre : vêtu, à la manière ancestrale, de l'habit du fécial, il lance devant le temple de Bellone, sur le Champ de Mars, un javelot de bois destiné symboliquement à l'ennemi extérieur.

La guerre est déclarée en octobre – 32, non à Antoine, mais à l'étrangère, dont Dion Cassius affirme qu'«à chaque fois qu'elle prononçait un serment, son plus grand vœu était de rendre la justice sur le Capitole».

Octave décide de passer aux armes et lève des troupes en Italie et dans toutes les provinces occidentales (ci-dessous, le recensement ; à droite, un légionnaire gaulois). Lui qui se présente comme le restaurateur de l'ancienne religion, se place sous la protection de Mars, le dieu romain de la Guerre, à qui il avait fait édifier un temple et à qui, avant chaque campagne, un sacrifice s'imposait.

Dangereuse ennemie qui voudrait s'introduire au cœur même de la cité sacrée !

La propagande se déchaîne contre Cléopâtre tandis qu'Octave se fait cautionner par un serment que lui prêtent l'Italie, le *Iuratio Italiæ*, les Gaules, l'Afrique, la Sicile et la Sardaigne. Fort de cette reconnaissance qui lui permet de se présenter comme le champion

de la liberté contre la royauté, de l'Occident contre
l'Orient, de la romanité contre la barbarie, il cingle
vers l'est pour affronter Cléopâtre et Antoine qui
sont à Patras.

Actium : des forces de titans

Octave est à la tête de 70000 fantassins et de
12000 cavaliers ; sa flotte de 400 navires est
commandée par le grand Agrippa. En face,
l'armée qu'a financée Cléopâtre et que
commande Antoine est sensiblement
supérieure : aux 75000 légionnaires
s'ajoutent 25000 auxiliaires et 12000
cavaliers ; sur les 500 navires de guerre,
200 sont égyptiens ; 300 cargos les
accompagnent. Cléopâtre, à bord de
l'*Antonia*, son vaisseau amiral aux
voiles de pourpre, commande elle-
même son escadre de guerre
personnelle de 60 navires.

Les deux armées ont atteint le
golfe d'Ambracie, au sud de
l'Epire. Octave et Antoine ont
tous deux installé leur camp
sur le promontoire d'Actium

et restent en présence durant tout l'hiver.
Les premières escarmouches ont lieu, sur
mer, au printemps suivant : Agrippa s'empare
de toutes les îles proches. L'armée d'Antoine,
encerclée, a le plus grand mal à
s'approvisionner. Ses forces s'amenuisent :
les rois de Thrace et de Paphlagonie

rallient Octave. Plus grave, Dellius passe à l'ennemi, emportant le plan de bataille.

La seule solution est de tenter de forcer le blocus, avec une flotte réduite au minimum. Antoine fait brûler les lourds cargos et les petits navires de guerre, trop peu rapides. Le trésor de guerre est embarqué sur le vaisseau de la reine; «ils choisirent les meilleurs de leurs vaisseaux [...] et y transportèrent secrètement ce qu'ils avaient de plus précieux», rapporte Dion Cassius. Les voiles des navires ne sont pas retirées, comme pour le combat, mais tenues prêtes à être hissées... pour la fuite. Il ne reste que quatre escadres – 240 navires – contre les 400 d'Octave. Tout est prêt pour tenter la fuite par mer, tandis que l'armée de terre est confiée à Canidius.

Le 2 septembre – 31, quand, après quatre jours de tempête, à l'approche de midi, se lève un petit vent de mer, les trois ailes de la flotte quittent leur mouillage vers la haute mer, pour forcer en rangs serrés le barrage des navires octaviens. Agrippa tente alors une ruse : il feint de se replier. Publicola, qui assistait Antoine dans l'aile droite, se lance à sa poursuite : le front antonien est rompu.

Faisant brutalement volte-face, Agrippa attaque la flotte d'Antoine, qui est dispersée. L'escadre de Cléopâtre, qui se tenait en arrière, en profite pour se faufiler dans la brèche ainsi opérée et gagne le large. Antoine saute dans une quinquirème et la suit, donnant à ses navires l'ordre d'en faire autant. Une centaine de vaisseaux seulement pourront ainsi échapper à Octave.

Echec ou victoire ?

La propagande octavienne et la tradition antique donneront une version totalement négative de cet affrontement : la victoire d'Octave serait écrasante et totale, les dieux et la nature même en auraient décidé ainsi. «Epuisée du fait qu'elle était femme et égyptienne [...], la reine se jeta soudain dans la fuite» (Dion) et Antoine, aveuglé par la passion, «abandonna et trahit ceux qui se faisaient tuer pour lui [...] pour suivre celle qui avait déjà commencé à le

Provenant de l'une des galères d'Actium, cet éperon en bronze, ou rostre (ci-dessus), était destiné à défoncer les coques ennemies.

La poupe de ce navire romain est décorée d'un crocodile, symbole traditionnel de l'Egypte : l'animal, enchaîné et placé sous les pieds des marins, est l'emblème d'une victoire qu'Octave présente comme sans ambiguïté.

Les Romains, excellents soldats sur terre, sont peu experts dans l'art des batailles navales. Ils cherchent donc à transformer les combats sur mer en affrontements terrestres. C'est à cet usage que sert le *corvus* ou grappin qui leur permet d'accrocher les navires les uns aux autres, formant ainsi une sorte de plancher où ils pourront se livrer au corps à corps. Après Actium, Octave, conscient de l'importance de la puissance maritime, réorganise la marine militaire romaine et crée des flottes permanentes pour la protection des convois civils et marchands.

ruiner» (Plutarque). La défaite est totale : «Les épaves de l'immense flotte [...] voguaient sur la mer et les dépouilles recouvertes de pourpre et d'or des Arabes, des Sabéens et de mille peuples d'Asie, poussées par le vent, étaient sans cesse rejetées par la mer.»

Cette guerre sera présentée aux Romains comme une guerre «juste» et non une guerre civile, puisque Antoine n'est même plus romain, ainsi que le clamait Octave avant la bataille : «Qu'on se garde bien de considérer Antoine comme un Romain, c'est un Egyptien! Qu'on se garde de lui donner le nom d'Antoine, il est Sérapion! Qu'on se garde de croire qu'il a jamais été consul, il est gymnasiarque!» C'est la victoire éclatante de l'Occident sur l'Orient, de la vertu sur la luxure, de la république romaine sur la monarchie orientale.

Antoine a rejoint Cléopâtre sur son navire, ils sont libres et leur trésor sauf! A demi vaincus, ils ont cependant déjoué le piège d'Octave.

"Il est un port [...] dans ce golfe où la mer ionienne apaise le murmure de ses eaux; ce sont les flots témoins d'Actium [...]. C'est là que se sont rencontrées les forces du monde. D'un côté, une flotte maudite [...] et des armes honteusement brandies par une main de femme. De notre côté, le navire d'Auguste voguant à pleines voiles sous le signe de Jupiter et des enseignes accoutumées à vaincre pour la patrie. [...] L'eau tremblait lorsque, rayonnant de l'éclat des armes, Apollon apparut au-dessus de la poupe d'Auguste.**"**

Properce

Après Actium, le monde romain a un maître unique et incontesté : Octave. C'est la fin officieuse de la République; un nouveau régime politique va lui succéder : le Principat, qui annonce l'Empire. C'est en même temps, pour Antoine et Cléopâtre, la perte d'une partie importante de leur armée et la défection de nombreux alliés. Un an plus tard, Alexandrie tombera et avec elle, le royaume hellénistique d'Egypte.

La reine n'entend pas revenir en Egypte en vaincue et c'est au son d'hymnes triomphaux que ses navires, ornés de guirlandes, entrent dans le port d'Alexandrie. Immédiatement, elle reprend avec énergie les rênes du pouvoir, fait exécuter tous les individus suspects de trahison et confisque leurs biens. Mais elle sait qu'Octave ne va pas en rester là.

CHAPITRE V
LES COMPAGNONS DE LA MORT

Antoine resta prostré «en la proue du navire, tenant sa tête entre ses mains» (Plutarque), durant trois jours, jusqu'au cap Ténare. Alors seulement il sortit de son mutisme pour reprendre la vie commune avec Cléopâtre. Sans le savoir, ils cinglent vers la mort.

Au cap Ténare, une désillusion attend le couple : l'armée de terre laissée sur le promontoire d'Actium s'était rendue à Octave pour prix de sa clémence et les navires abandonnés avaient été, pour une bonne partie, brûlés. Conscient de sa faiblesse, Antoine congédie les quelques amis qui lui étaient restés fidèles, les récompensant largement. Il compte encore sur les quatre légions qu'il avait laissées en Cyrénaïque. Il s'arrête en Libye pour les attendre, tandis que Cléopâtre continue vers l'Egypte. Lorsqu'il apprend la défection de ces légions, ses amis le retiennent à grand-peine de se suicider.

De retour à Alexandrie, Antoine, de nouveau, sombre dans l'apathie. Il s'est fait construire sur la jetée, près du port, une petite cellule où il vit en ermite, retiré de la cour, et à laquelle il a donné, en souvenir du misanthrope Timon d'Athènes, le nom de «Timonéion». Il faut toute l'énergie de Cléopâtre pour le ramener à la vie. Elle organise fête sur fête : en l'honneur de la prise de la toge virile d'Antyllus, le fils d'Antoine et de Fulvie, pour l'inscription sur la liste d'éphèbie de Césarion, pour le cinquante-troisième anniversaire enfin de son époux. Celui-ci consent alors à rejoindre le groupe de ceux qui ne sont plus les adeptes de la «vie inimitable» mais les «compagnons de la mort», cette société d'amis qui sont convenus de mourir ensemble mais qui, en attendant leur dernière heure, entendent partager leurs derniers plaisirs.

Fuir... «une entreprise merveilleuse et d'une très grande hardiesse»

Cléopâtre sait qu'Octave quittera l'Italie où il est retourné pour reprendre en main une situation qui reste trouble; elle sait qu'il voudra définitivement régler le conflit qui, plus qu'à elle-même, l'a opposé

❝Ils abolirent cette première bande qu'ils avaient nommé la vie inimitable, mais ils en établirent une autre qu'ils appelèrent *synapothanuménon*, c'est-à-dire la bande de ceux qui veulent mourir ensemble, qui, en somptuosité, dépense et délices, ne

cédait en rien à la première. [...] Ils étaient toujours à faire bonne chère. [...] Cependant, Cléopâtre rassemblait et amassait tous poisons.**❞**

Plutarque

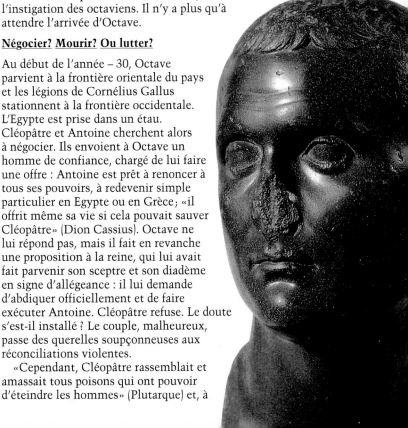

à Antoine à qui elle est définitivement liée. Elle imagine alors une fuite vers l'est, l'Inde peut-être. Elle fait transporter les navires qu'elle a pu sauver d'Actium vers la mer Rouge par roulage, «pour emporter tout son or ou son argent et s'en aller, avec ses gens, habiter en quelque terre, sur l'océan, loin de la Méditerranée, pour échapper au danger de cette guerre et de la servitude», affirme Plutarque. Mais ses navires sont saisis et brûlés par les Arabes de Pétra, à l'instigation des octaviens. Il n'y a plus qu'à attendre l'arrivée d'Octave.

Affecté par les événements, Antoine (ci-dessous) connaît un de ces profonds abattements dont il est coutumier. Cléopâtre pourtant refuse de le livrer à Octave.

<u>Négocier?</u> <u>Mourir?</u> Ou lutter?

Au début de l'année – 30, Octave parvient à la frontière orientale du pays et les légions de Cornélius Gallus stationnent à la frontière occidentale. L'Egypte est prise dans un étau. Cléopâtre et Antoine cherchent alors à négocier. Ils envoient à Octave un homme de confiance, chargé de lui faire une offre : Antoine est prêt à renoncer à tous ses pouvoirs, à redevenir simple particulier en Egypte ou en Grèce; «il offrit même sa vie si cela pouvait sauver Cléopâtre» (Dion Cassius). Octave ne lui répond pas, mais il fait en revanche une proposition à la reine, qui lui avait fait parvenir son sceptre et son diadème en signe d'allégeance : il lui demande d'abdiquer officiellement et de faire exécuter Antoine. Cléopâtre refuse. Le doute s'est-il installé ? Le couple, malheureux, passe des querelles soupçonneuses aux réconciliations violentes.

«Cependant, Cléopâtre rassemblait et amassait tous poisons qui ont pouvoir d'éteindre les hommes» (Plutarque) et, à l'instar de ses prédécesseurs royaux, elle prépare sa sépulture : une haute tour carrée éclairée de deux fenêtres. Elle y entasse son or, ses bijoux, ses meubles en bois précieux, ses parfums... et force combustible pour faire brûler le tout, au cas où son ennemi chercherait à s'en emparer. Le messager qu'envoie encore Octave à la reine, Thyros, est battu et chassé

Quand Cléopâtre voit Antoine mort, sa douleur est extrême : le compagnon avec qui elle a vécu onze ans l'a définitivement abandonnée ; en même temps, elle sait que c'en est fini d'elle et du royaume des Lagides.

violemment par Antoine qui craint que se noue une connivence entre Octave et Cléopâtre.

Au printemps – 30, les légions d'Octave s'emparent de Péluse; au début de l'été, elles sont aux portes d'Alexandrie. Antoine réussit une sortie avec sa cavalerie mais l'affrontement n'est pas décisif; en plein désarroi, il propose un combat singulier à son adversaire qui refuse dédaigneusement.

Le 31 juillet, il lance son armée sur Octave. Une armée amoindrie : seule l'infanterie se bat; sa cavalerie et sa flotte se sont rendues à l'ennemi. Le bruit courait que, la nuit précédente, le dieu Dionysos, son protecteur, avait quitté Alexandrie en grand cortège au son de toutes sortes d'instruments de musique. «Le dieu à qui Antoine avait tant à cœur de ressembler et avec qui il désirait tant être confondu les abandonnait» (Plutarque). C'est l'échec. Les légions romaines sont toujours aux portes de la ville. Antoine rentre à Alexandrie.

Un quiproquo tragique

C'est alors qu'il apprend de la bouche de ses généraux que la reine, retranchée dans son mausolée, vient de mourir. Il saisit son épée, la tend à son esclave Eros, le suppliant de l'en transpercer, mais le jeune garçon s'en sert pour se tuer lui-même. Stimulé par tant de courage, Antoine se frappe au ventre, au moment même où Diomède, le secrétaire de Cléopâtre, surgit pour annoncer que la reine est vivante.

Mourant, Antoine se fait porter au mausolée pour la revoir. Mais Cléopâtre s'est barricadée de peur que les soldats d'Octave ne s'emparent d'elle. Aidée de ses deux servantes, avec des cordes, elle hisse le corps sanglant de son ami par la fenêtre. «Quand elle l'eut ainsi recueilli, elle le coucha, déchira ses propres vêtements pour l'en couvrir et, se frappant la poitrine et la meurtrissant de ses mains, elle essuya le sang avec son visage, en l'appelant son seigneur, son mari et son empereur, oubliant presque sa misère» (Plutarque). Après lui avoir conseillé de tout tenter pour sauver sa vie, pourvu que ce soit «sans honte ni déshonneur», Antoine rend l'âme entre ses bras.

La Mort d'Antoine par Turchi (XVIIe siècle) semble un rappel de la Descente de croix où le corps exsangue du Romain évoque celui du Christ et la pose affligée de la reine, celle de Marie.

Octave maître de Cléopâtre...

Octave craint que Cléopâtre, toujours cloîtrée dans son mausolée, ne se tue et ne détruise son trésor. Et lui la veut vivante, il veut qu'elle défile enchaînée, sous les quolibets des Romains, lors de son triomphe. Il commande alors à un de ses hommes, Proculéius, de tout faire pour s'emparer d'elle. Mais Cléopâtre refuse d'ouvrir, elle parlemente à travers la porte : une seule chose la préoccupe, que ses enfants vivent et obtiennent le royaume d'Egypte.

Un autre messager, Gallus, intervient à son tour, et tandis qu'il détourne l'attention de la reine, Proculéius pénètre dans le tombeau par une des fenêtres, surprend Cléopâtre et lui arrache le poignard avec lequel elle veut mettre fin à ses jours. Cléopâtre est désormais prisonnière, étroitement surveillée par un affranchi d'Octave, Epaphrodite.

... et d'Alexandrie

Le 1er août-30, Octave investit Alexandrie. Pour rassurer la population, il donne, dans un long discours en grec, les raisons de sa clémence : la beauté et la richesse de la cité, son admiration pour son fondateur, Alexandre, et enfin son amitié pour le philosophe alexandrin, Aréios. Puis il fait fouiller la cité pour retrouver Antyllus, le fils d'Antoine et de Fulvie, et Césarion. Le premier, dénoncé par son précepteur, est égorgé là même où il s'était réfugié, dans le temple que Cléopâtre avait voué aux mânes de César; le second est introuvable : sa mère l'a fait fuir vers

l'Inde par la route d'Ethiopie, muni d'une grosse somme d'argent.

La détresse d'une reine

Cléopâtre, qui a reçu d'Octave l'autorisation de rendre à Antoine les honneurs funèbres, s'acquitte de cette dernière tâche. Elle a décidé de mourir pour s'épargner l'humiliation du triomphe. Sans armes, perpétuellement surveillée, elle entreprend de ne plus se nourrir. Les blessures qu'elle s'est infligées devant le corps d'Antoine mourant se sont infectées, elle dépérit, sans doute avec la complicité de son médecin. Octave la menace : si elle continue en cette voie, il fera périr «honteusement» ses enfants. Alors, elle se laisse soigner et recommence à se nourrir.

Il vient enfin lui rendre visite. Dion Cassius accuse la reine d'avoir tenté de séduire son vainqueur au cours de cette dernière entrevue, de s'être livrée à de «douces œillades et paroles caressantes». Le chaste Octave, bien sûr, aurait résisté. Plutarque voit la scène d'un œil différent : pâle, amaigrie, le corps fiévreux, les cheveux arrachés, la reine n'était pas à même de séduire. Elle propose, en tout cas, à Octave des bijoux pour sa femme et sa sœur;

❝Il [Octave] estimait que cela ornerait et embellirait fortement son triomphe, s'il pouvait la prendre et la mener vivante à Rome. [...] Il l'alla visiter lui-même.**❞**
    Plutarque

L a reine a-t-elle, au cours de cette unique entrevue dans son mausolée, supplié le consul de lui accorder la vie sauve ?

S'est-elle offerte au vainqueur ? De même que l'ont fait certains auteurs anciens, le peintre Mengs (XVIIIᵉ siècle) laisse planer le doute. Du mausolée que, selon la tradition pharaonique, elle s'était fait construire près du temple d'Isis, on n'a retrouvé aucune trace (ci-dessus, une représentation fantaisiste du XVIIᵉ siècle.

elle fait appel à sa pitié. Il est persuadé qu'elle tient encore à la vie.

Une mort mystérieuse

Cléopâtre, elle, est bien décidée à mourir. Le départ pour Rome doit avoir lieu trois jours plus tard, le moment est venu. Elle se rend une dernière fois sur la tombe d'Antoine puis se livre aux ultimes préparatifs : elle se fait baigner, farder et vêtir en souveraine par ses deux fidèles servantes, Iras et Charmion, prend un repas magnifiquement servi avant d'envoyer à Octave une tablette dans laquelle elle lui demande que son corps soit déposé près de celui d'Antoine.

On se précipite auprès de la reine. Trop tard ! Elle est étendue sur un lit d'apparat, sans vie. Iras et Charmium sont près d'elle, mourantes. On fait en hâte venir médecins et guérisseurs. Rien ne peut rappeler les trois femmes à la vie. Se sont-elles empoisonnées à l'aide d'une épingle trempée dans du poison caché dans un bijou ? Se sont-elles fait mordre par un aspic ? On se souvient qu'un paysan a apporté, quelques heures auparavant, un panier de figues qui auraient pu dissimuler un serpent...

Les peintres orientalistes du siècle dernier ont privilégié la scène funèbre qui apparaît aux yeux des Romains lorsqu'ils font irruption dans le mausolée : Cléopâtre, vêtue de ses habits royaux, est morte, ainsi qu'Iras, une de ses deux fidèles servantes ; l'autre, Charmion, ajuste le diadème sur la tête de la reine, avant de s'effondrer. Sur cette toile, Rixens interprète le récit de Plutarque : la reine est nue, dans une pose totalement abandonnée, qui, alliée aux couleurs froides, est le signe irréfutable que la mort a fait son œuvre.

Cléopâtre, à trente-neuf ans, a choisi la seule liberté qui lui restait, la mort. Elle ne suivra pas la route qu'a prise autrefois sa sœur Arsinoé. Son dernier stratagème aura été d'endormir la méfiance du Romain. Malgré sa colère, Octave accorde que son corps soit placé près de celui d'Antoine dans un tombeau qui n'a jamais été retrouvé. Il fait renverser les statues édifiées à la gloire de son ennemi mais, pour une forte somme que lui remet un fidèle de Cléopâtre, Archibius, il accepte de laisser intactes les effigies de la reine.

Si Rixens reprend le décor oriental conventionnel du XIXe siècle – peau de panthère, mobilier et bijoux égyptiens –, Prinsep (page suivante) prête plus d'attention à la vérité historique : il utilise des éléments des deux civilisations auxquelles Cléopâtre appartient, la grecque et l'égyptienne. La chaleur des tons et la grâce des attitudes de la reine et de Charmion feraient plutôt croire au sommeil. En page 98, les funérailles de Cléopâtre, une scène purement imaginaire.

F.A. Bridgman

Après la défaite d'Alexandrie, l'Egypte passe sous domination romaine. Mais, entre toutes les provinces, elle jouira d'un statut particulier. Propriété personnelle d'Octave, elle dépendra directement, et pour quatre siècles, du domaine impérial, tout en conservant l'essentiel de ses spécificités.

CHAPITRE VI
L'ÉGYPTE PROVINCE ROMAINE

Après la mort de Cléopâtre, Octave devient le nouveau pharaon d'Egypte, reconnu par le clergé comme le dieu vivant. Cette statue hiératique, placée dans le temple de Karnak, le représente avec la pose et les attributs traditionnels, mais des boucles dépassent de la coiffure royale. Ci-contre, une monnaie émise après Actium : *Aegypto capta*, «l'Egypte est prise».

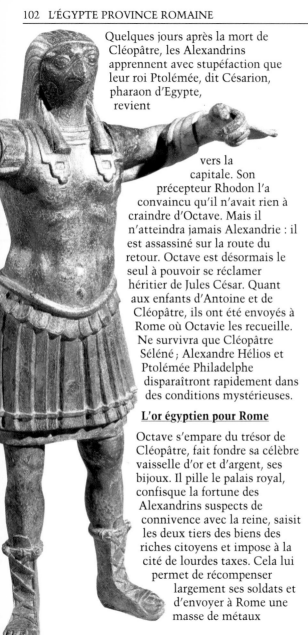

Quelques jours après la mort de Cléopâtre, les Alexandrins apprennent avec stupéfaction que leur roi Ptolémée, dit Césarion, pharaon d'Egypte, revient vers la capitale. Son précepteur Rhodon l'a convaincu qu'il n'avait rien à craindre d'Octave. Mais il n'atteindra jamais Alexandrie : il est assassiné sur la route du retour. Octave est désormais le seul à pouvoir se réclamer héritier de Jules César. Quant aux enfants d'Antoine et de Cléopâtre, ils ont été envoyés à Rome où Octavie les recueille. Ne survivra que Cléopâtre Séléné ; Alexandre Hélios et Ptolémée Philadelphe disparaîtront rapidement dans des conditions mystérieuses.

L'or égyptien pour Rome

Octave s'empare du trésor de Cléopâtre, fait fondre sa célèbre vaisselle d'or et d'argent, ses bijoux. Il pille le palais royal, confisque la fortune des Alexandrins suspects de connivence avec la reine, saisit les deux tiers des biens des riches citoyens et impose à la cité de lourdes taxes. Cela lui permet de récompenser largement ses soldats et d'envoyer à Rome une masse de métaux

Etonnant assemblage que ces statues datant des premiers temps de l'Egypte romaine, qui associent des divinités égyptiennes et des corps manifestement romains. A gauche, la tête protectrice du faucon Horus surmonte le corps d'un général, couvert de sa cuirasse ; à droite, sur le légionnaire armé de sa lance, la tête du chacal Anubis, dieu des morts, supportant le disque solaire. Un syncrétisme qui est la marque d'une tradition romaine immémoriale : pour se concilier tout à la fois les peuples et les dieux des pays conquis, les Romains ont toujours pris soin d'adapter leurs propres divinités à celles de ces derniers, allant même jusqu'à leur construire des temples.

précieux telle que la valeur de l'argent y baisse de
moitié et que le taux de l'intérêt pratiqué est réduit
des deux tiers.

Le trésor égyptien entre pour une bonne partie dans
les 16 000 livres d'or et les 50 millions de sesterces en
pierres précieuses et en perles qu'Octave fait porter
dans le temple de Jupiter Capitolin. Il choisit en
outre, parmi les œuvres d'art, celles qui lui paraissent
convenir à la capitale italienne : le Zeus de Myron,
qui venait de Samos, est envoyé au Capitole et
un Hermès double sera interprété en Janus. En
revanche, par souci de sa popularité, il renvoie
l'Apollon de Myron à Ephèse et rend la statue
d'Ajax aux Rhoetiens.

Le triomphe d'Octave

Après avoir visité l'Egypte jusqu'à Memphis,
réglé les affaires d'Orient et reçu
l'hommage de la Syrie, de la Judée, de
la Phénicie et des Grecs d'Asie,
Octave regagne Rome au cœur de
l'été – 29, pendant ce mois d'août qui
tirera son nom du nouveau titre
qu'on lui accordera deux ans plus
tard : «Augustus», ou «grandi» par
l'approbation des dieux. Lors de son
entrée dans la ville, le Sénat, les
Vestales et le peuple avec femmes et
enfants auraient dû venir à sa
rencontre, mais Octave refuse cet
excès de majesté. On lui décrète
nombre d'honneurs ; parmi eux,
trois jours de triomphe : le 13 août,
il fête sa victoire sur les Dalmates, le
14 celle sur les Barbares asiatiques battus
à Actium et le 15 celle sur l'Egypte.

«Les processions furent rehaussées par le
butin égyptien – tant de richesses avaient
été amassées qu'elles suffirent pour toutes
– mais c'est la célébration du triomphe sur
l'Egypte qui fut la plus somptueuse et la
plus majestueuse.» (Dion Cassius). Dans
l'immense cortège d'hommes et de

richesses qui traverse la ville pour gagner le Capitole figurent, outre les allégories du Nil et de l'Egypte, les jumeaux de Cléopâtre ainsi qu'une statue de leur mère, couchée sur un lit funèbre dans l'attitude qu'elle avait au moment de sa mort, un serpent enroulé autour du bras. «Puis Octave entra à leur suite triomphalement et accomplit tous les rites selon la coutume.»

Cléopâtre Séléné continue quelque temps d'incarner le souvenir de la dernière reine d'Egypte. Mariée à l'érudit Juba de Numidie qui a été élevé à Rome, elle devient la souveraine de la province d'Afrique (Numidie et Mauritanie) et fonde avec son époux une riche capitale, Césarée – l'actuelle Cherchel –, dont le musée et la bibliothèque connaîtront la gloire. Les monnaies frappées à son effigie portent la marque de son ascendance égyptienne : le sistre d'Isis, la vache d'Hathor, ibis et crocodiles. Après sa mort et l'assassinat, quelque temps plus tard,

Jonglant entre son désir de pouvoir unique et la haine des Romains pour la royauté, Octave (à gauche) se fait nommer *princeps*, c'est-à-dire le premier des citoyens. Le nouveau régime du principat se nourrit de l'idéologie de la victoire; les trois triomphes organisés en – 29 à Rome, en son honneur, contribuent fortement à la mise en place de celle-ci. En haut, une reconstitution du Capitole devant . lequel figurent les statues prises en Egypte.

de son fils Ptolémée par l'empereur Caligula, la dynastie lagide aura vécu.

Octave, roi de la Haute et de la Basse Egypte, fils du Soleil

«Il ne voulut pas commettre d'acte irréparable à l'égard d'un peuple si nombreux et susceptible d'être utile aux Romains», dit Dion Cassius. Bien au contraire, il entend se faire accepter par l'Egypte dont il devient aussitôt le roi : pas de représailles contre la population, mansuétude envers les prisonniers étrangers – s'il retient les frères du roi d'Arménie en otages, il renvoie chez elle Iotapa, la fille du roi des Mèdes...

Il se moule dans le modèle pharaonique. Très vite un culte lui est rendu; il devient «Bel enfant chéri pour son amabilité, roi de la Haute et de la Basse Egypte, fils du Soleil, César éternellement vivant, chéri de Ptah et d'Isis». Des statues d'Octave-Osiris, Octave-Thot, Octave-Pharaon sont dressées un peu partout : coiffé du pschent, tenant en main les attributs royaux, il occupe, à la manière de ses prédécesseurs égyptiens et lagides, le trône d'Horus.

D'abord suscité par le nouveau pouvoir, ce culte est par la suite rendu spontanément sur le

Malgré la promesse faite par Octave, la quasi-totalité des statues de la reine ont disparu, probablement détruites; cependant, on a trouvé en Algérie, à Cherchel (l'antique Césarée), une tête de Cléôpâtre, représentant soit la reine d'Egypte, soit sa fille Cléôpâtre Séléné, mariée au roi de Numidie, Juba II.

Après les Lagides, Rome laisse sa marque dans l'île de Philae, consacrée essentiellement à Isis et à Osiris. Auguste fait construire un temple, une porte d'accès à l'île et des colonnades ; il se fait représenter sur les murs des sanctuaires. Concession habile faite au clergé local de la part de celui qui, soucieux de restaurer l'antique religion romaine, manifestera, à Rome, une grande hostilité au culte isiaque, pratiqué pourtant depuis Sylla par de nombreux fidèles. En 1850, l'écrivain Maxime Du Camp, qui a visité l'île avec Gustave Flaubert, décrit le spectacle : «Ici, tout est [...] de l'époque grecque et romaine, à l'exception d'un propylon [...]. L'ensemble des ruines est grandiose ; lorsque le soleil couchant les éclaire, on croirait voir les débris d'une île féérique. Un portique soutenu par dix colonnes gigantesques fait suite [à des] pylônes ; leurs fûts étaient peints, les chapiteaux le sont encore. De belles couleurs bleues et blanches [...] font vigoureusement ressortir le feuilles de palmiers et les fleurs de lotus ; cela est magnifique.» (Ci-contre, le portique du grand temple.)

plan local. Le clergé égyptien cautionne et légitime le pouvoir d'Octave, «véritable héritier du maître des dieux», garant de l'ordre et de la prospérité du pays. Des temples sont voués au nouveau pharaon, comme, en 13, celui de Philae (des temples seront élevés plus tard à Néron, Vespasien, Hadrien, Caracalla).

Octave inaugure ainsi la longue suite de pharaons d'Egypte que seront désormais les empereurs romains jusqu'au IVe siècle et dont les visites (comme celle d'Hadrien en 130) réactiveront le zèle des fidèles.

C'est en même temps l'annonce du culte

"S'étant fait montrer le sarcophage et le corps d'Alexandre le Grand, que l'on retira du tombeau, il lui rendit hommage en plaçant sur sa tête une couronne d'or et en le jonchant de fleurs, mais comme on lui demandait s'il voulait également visiter les tombeaux de Ptolémée, il dit qu'il avait voulu voir un roi et non des morts."

Suétone

impérial qui s'étendra bientôt à tout l'Empire. Mais le nouveau pharaon est bien plus soucieux d'exploiter les ressources du pays et de le tenir fermement en mains que de respecter les traditions locales et les désirs des indigènes : il entend marquer sa spécificité de Romain et de vainqueur. Et à l'endroit de sa victoire, aux portes d'Alexandrie, il fonde la cité nouvelle de Nicopolis. Il reconnaît le dieu hellénistique qu'est Sérapis mais refuse de s'incliner devant la divinité taurine Apis, comme le faisaient alors tous les nouveaux pharaons, affirmant «qu'il avait l'habitude de se prosterner devant les dieux et non devant les animaux». De retour à Rome, il interdira d'ailleurs en-28 que des chapelles privées de divinités égyptiennes soient établies à l'intérieur du *pomerium*, zone sacrée de l'Urbs dans laquelle on ne peut ni habiter ni cultiver. De plus, s'il se rend sur le tombeau d'Alexandre, il ne veut pas visiter les tombes des anciens Ptolémées, arguant de son désir «de voir un roi et non des morts» (Suétone).

Après César, Octave rend hommage au grand conquérant, fondateur de la cité, dont il se présente comme l'héritier direct aux yeux des Alexandrins et de tous les Egyptiens. Mais il refuse ostensiblement de se placer en continuateur des Ptolémées Lagides. Le peintre Sébastien Bourdon (XVIIe siècle) a placé Octave au centre de la toile, reconnaissable à son manteau rouge de général. Il est à la tête d'un cortège d'Alexandrins et désigne le tombeau d'Alexandre (à gauche) : devant un pan de pyramide, la statue du cheval légendaire d'Alexandre, Bucéphale.

Une province à part

A cause de son importance stratégique et économique, Octave impose à l'Egypte une organisation spécifique qui la distingue des autres provinces et qui perdurera quatre siècles. Pour cette raison, le pays est directement rattaché à son domaine personnel. Il devient province impériale. Cette province, qui dépend donc en dernier ressort du seul prince, est confiée à la gestion d'un préfet de rang équestre, le poète-soldat Cornélius Gallus, ami de Virgile, choisi précisément pour sa condition de modeste chevalier (pris au jeu du pouvoir, il connaîtra, trois ans plus tard, la disgrâce et se suicidera).

Les structures administratives, réputées pour leur très grande efficacité, sont respectées, mais, à l'énorme masse des fonctionnaires payés par le pouvoir central, sont joints les prêtres qui, privés de leurs terres, reçoivent une rémunération et sont comblés d'honneurs – le nouveau pharaon ne peut se permettre de provoquer l'hostilité d'un clergé tout-puissant.

Octave craint et réglemente soigneusement les contacts entre Rome et la nouvelle colonie, qui est comme entourée d'une sorte de cordon sanitaire. Aucun sénateur ne pourra fouler le sol égyptien sans autorisation, aucun Egyptien, sauf s'il est alexandrin, ne pourra obtenir le droit de cité romaine. Son attitude vis-à-vis d'Alexandrie est ambiguë : il doit tenir compte des éléments grecs et juifs de la population sur lesquels il s'appuie, mais il se méfie d'eux et aucun Alexandrin ne pourra accéder au Sénat. De même, la cité, à la différence des cités grecques, n'aura ni magistrats, ni comices, ni assemblées élus.

Les Grecs et la partie hellénisée de la population servent de point d'appui à Octave pour imposer la domination de Rome : il leur octroie privilèges et exemptions de certains impôts, au détriment des indigènes, exploités et méprisés. La langue officielle

Octave fixe les cadres du culte impérial qui se répandra dans tout l'empire et dont la forme suprême sera son apothéose (en haut), décidée après sa mort. (14 apr. J.-C). Le titre prestigieux d'Augustus que lui décerne le Sénat en – 27 suggérait déjà qu'il possèdait une puissance d'ordre religieux. S'il prend soin d'éviter tout culte à sa propre personne, il admet néanmoins qu'on rende un culte à ce qui est divin en lui, son *genius* ou son *numen*.

La foudre ayant frappé l'inscription de sa statue, effaça la première lettre de son nom; les devins déclarèrent [...] qu'il serait mis au nombre des dieux parce que le mot «aesar» signifie «dieu» en étrusque.
Suétone

reste le grec. La fiscalité, compliquée par un système de déclaration obligatoire, se précise et s'alourdit notamment pour les paysans, qui doivent payer un impôt par tête, la *laographia*.

L'exploitation agricole s'intensifie, on améliore le réseau des canaux d'irrigation. Les monopoles sont assouplis au profit de la bourgeoisie hellénisée. Les échanges commerciaux extérieurs se font plus

Les empereurs romains qui succéderont à Octave seront tous, comme lui, représentés en pharaon. Mais, contrairement aux Lagides qui avaient repris faciès et attributs traditionnels dans leur totalité, les Romains, eux, apposeront leur marque : sous la coiffe pharaonique, le visage et la coiffure sont typiquement romains. Une manière d'affirmer que c'est Rome désormais qui occupe le trône d'Horus.

denses. Jusqu'au IIIᵉ siècle, la richesse égyptienne se maintiendra, et le pays sera l'un des plus prestigieux greniers de Rome. Le blé, les pièces de verre et d'orfèvrerie, les papyrus, les étoffes de laine et de lin, les parfums produits en Egypte continueront d'affluer vers Ostie et les ports italiens.

Malgré quelques révoltes sporadiques – Hiéropolis et la Thébaïde – vite réprimées par Gallus, l'œuvre d'Octave engage l'avenir du pays pour plusieurs siècles. L'Egypte ne perdra son régime spécial que lors de la réorganisation de l'Empire, en 395, où elle est rattachée au royaume d'Orient et divisée en provinces. Pour l'heure, Octave y règne en maître.

TÉMOIGNAGES ET DOCUMENTS

De l'histoire au mythe

Saisir la vérité historique du personnage de Cléopâtre n'est pas tâche aisée. Nous possédons très peu de témoignages archéologiques à son sujet; son tombeau n'a jamais été retrouvé, ses représentations sont fort rares et il ne subsiste d'elle aucune statue en pied. Quant aux historiographes anciens, dont pratiquement aucun n'est son contemporain, ils ne parlent d'elle qu'indirectement, lorsqu'ils traitent des grands hommes auxquels son destin l'a liée, César, Antoine et Octave-Auguste. Grecs ou Romains pour la plupart, ils se méfient de la royauté orientale, surtout si elle est exercée par une femme!

Ecrivant souvent, enfin, pour glorifier le règne d'Auguste, et donc dénigrer ses ennemis comme Cléopâtre et Antoine, ils contribuent à forger l'image simpliste d'une dangereuse séductrice, avide de jouissances et de richesses, qui mit en péril l'Occident. C'est cette vision réductrice qui alimentera, des siècles durant et jusqu'à l'époque contemporaine, les fantasmes récurrents qui achèveront de brouiller l'image de la souveraine égyptienne.

Du côté des Anciens : un portrait peu flatteur

La plupart des auteurs anciens évoquent Cléopâtre à travers la vision déformante de leurs convictions augustéennes et pro-romaines : il en est ainsi des poètes contemporains d'Auguste, comme Virgile, Properce, Horace; plus tard, Lucain, au Ier siècle apr. J.-C., dédie son épopée, La Pharsale, à la gloire de Pompée et à la dénonciation de César et de Cléopâtre;

l'abréviateur romain Florus (IIᵉ siècle apr. J.-C.) et son contemporain, l'historiographe grec Dion Cassius, témoignent d'un net parti pris pour Auguste. On peut leur joindre l'historien juif Flavius Josèphe qui, au Iᵉʳ siècle apr. J.-C., se présente comme un farouche partisan des Romains et du roi de Judée, Hérode, l'ennemi de Cléopâtre. Voici les dominantes qui se dégagent du portrait qu'ils tracent d'elle.

Cruelle et avare

Cette ambitieuse et avare princesse, après avoir si cruellement persécuté ceux de son propre sang qu'il n'en restait plus un seul en vie, tourna sa fureur contre les étrangers. Elle calomniait auprès d'Antoine les plus qualifiés d'entre eux et le portait à les faire mourir afin de profiter de leurs dépouilles.

Flavius Josèphe,
Guerre contre les Juifs

Impie et débauchée

L'incestueuse fille des Ptolémées. [...] La sœur impie s'unit au frère; elle était déjà unie au chef latin [César] et, passant de l'un à l'autre époux, elle possède Rome et achète l'Egypte.

Lucain,
La Pharsale, X

Elle avait donc préparé [pour séduire Octave] un appartement splendide et une couche somptueuse; elle s'était parée avec une certaine négligence et (comble du raffinement!) ses habits de deuil rehaussaient son éclat.

Dion Cassius,
51

La reine insensée [...], avec son pestilentiel cortège d'hommes infâmes [montre] sa folie furieuse; [c'est] un monstre envoyé par le destin [...] à

l'esprit troublé par les fumées du vin maréotique.

Horace,
Odes, I, 37

Mensongère et traîtresse

Elle séduit César, chez Lucain, par «sa feinte douleur dont elle fait sa parure la moins compromettante». Chez Dion Cassius, elle trahit Antoine puisqu'elle livre Péluse à Octave, qu'elle cherche à séduire et qu'elle provoque son suicide en faisant courir le faux bruit de sa propre mort. Lâche, elle aurait abandonné, selon Dion et d'autres, Antoine à Actium.

Splendide

Nombre d'auteurs ne cessent de vanter, à l'instar de Lucain, sa «beauté malfaisante, [...] fardée», en qui elle a toute confiance et «sa poitrine éclatante à travers un voile». Pour Florus, personne ne peut résister à sa séduction. Plutarque, emporté par la description de la somptueuse galère qui la conduit à Antoine, la compare à Vénus.

Outrageusement dépensière

Il y avait deux perles, les plus grosses qui avaient jamais existé, l'une et l'autre propriété de Cléopâtre, dernière reine de l'Egypte; elle les avaient héritées des derniers rois de l'Orient. Au temps où Antoine se gavait journellement de mets choisis, Cléopâtre, avec le dédain à la fois hautain et provoquant d'une courtisane couronnée, dénigrait toute la somptuosité de ces apprêts. Il lui demanda ce qui pouvait être ajouté à la magnificence de sa table; elle répondit qu'en un seul dîner elle engloutirait dix millions de sesterces. Antoine était désireux d'apprendre comment, sans croire la chose possible. Ils firent donc un pari; le lendemain, jour de la décison, elle fit servir à Antoine un dîner d'ailleurs somptueux – il ne fallait pas que ce jour fût perdu –, mais ordinaire. Antoine se moquait et demandait le compte des dépenses. Ce n'était, assura-t-elle, qu'un à-côté; le dîner coûterait le prix fixé, et seule elle mangerait les dix millions de sesterces. Elle ordonna d'apporter le second service. Suivant ses instructions, les serviteurs ne placèrent devant elle qu'un vase, rempli d'un vinaigre dont la violente acidité dissout les perles. Elle portait à ses oreilles les bijoux extraordinaires, ce chef-d'œuvre de la nature vraiment unique. Alors qu'Antoine se demandait ce qu'elle allait faire, elle détacha l'une des perles, la plongea dans le liquide, et lorsqu'elle fut dissoute, l'avala. Elle se disposait à engloutir l'autre de la même façon; L. Plancus, arbitre de ce pari, mit le holà et prononça qu'Antoine était le vaincu, présage qui s'est accompli. La célébrité ne fait pas défaut à la perle jumelle; après la capture de cette reine, sortie victorieuse d'un débat si considérable, elle fut sciée, pour que la moitié de leur dîner devînt deux pendants d'oreille pour la Vénus du Panthéon, à Rome.

Pline l'Ancien,
Histoire naturelle

Magicienne
«Cléopâtre a pu subjuguer un vieillard par ses sortilèges» (Lucain). Chez Dion, elle séduit Antoine «par quelque pratique de sorcellerie».

Etrangère
«L'Egyptienne», comme s'écrie avec hargne Lucain, ou Virgile :
«Abomination, une épouse égyptienne!»
(Enéide, VIII).

Femme, enfin
Horace, évoquant Actium, s'indigne :
«Des Romains, hélas! vous ne le croiriez

pas, vendus à une femme» (Epodes). *Ou Dion Cassius, faisant dire à Octave avant la bataille :*
Que nous, qui assurément sommes des Romains et qui commandons à la plus grande et à la meilleure terre habitée, nous soyons méprisés et foulés aux pieds par une femme égyptienne, est en effet indigne de nos pères! [...] Comment tous ces héros [...] ne seraient-ils pas ulcérés s'ils s'apercevaient que nous sommes tombés aux mains d'un fléau de femme!» Antoine lui-même est devenu l'«esclave d'une femme», il est «efféminé», «il agit comme une femme».

Dion Cassius,
Histoires, 50, 24

Un regard plus objectif : Plutarque

A ces attaques véhémentes qui s'amplifient en se transmettant, on peut surtout opposer la voix romanesque de Plutarque, biographe et moraliste grec (49-120 apr. J.-C.), dans le récit qu'il fait de la vie d'Antoine. Il s'inspire d'un matériel de première main : les témoignages oraux directement recueillis auprès de membres de sa famille qui vécurent à Alexandrie à l'époque de Cléopâtre (son grand-père participa à la bataille d'Actium aux côtés d'Antoine) et l'ouvrage du médecin personnel de la reine, Olympos.

Une amante fidèle

On ne cite de façon sûre que ses amours avec César et Antoine. C'est bien peu, si l'on pense à la vie agitée des Romaines de la même époque! De plus, ces liaisons furent reconnues officiellement.
[César] la combla d'honneurs et de récompenses magnifiques et lui permit de donner son nom au fils qui lui était né.

Suétone,
Vie de César

C'est lui qui la fait venir à Alexandrie lors de son différend avec Ptolémée.
Secrètement, César manda à Cléopâtre, qui était aux champs, qu'elle revînt.

Plutarque,
Vie de César

Antoine fut son époux et, si Plutarque rapporte qu'Antoine craint la trahison de la reine, l'historien ne considère pas la chose comme sûre. En revanche, il insiste sur la douleur de la reine à la mort d'Antoine. Elle avait refusé de céder au chantage d'Octave, qui exigeait d'elle la mort d'Antoine.

Plus séduisante, que belle

Si tous les auteurs anciens s'accordent à reconnaître son charme, aucun ne donne de description de

Cléopâtre. Ils restent étonnamment vagues; seul Plutarque s'interroge sur ce qui fait précisément sa séduction. Elle ne réside pas dans sa beauté, puisque, selon lui «sa beauté seule à ce que l'on dit, n'était point si incomparable [...] ni telle qu'elle ravit immédiatement ceux qui la regardaient»; d'ailleurs, elle «ne surpassait Octavie ni en beauté ni en grâce». Après ces euphémismes, le biographe présente son analyse : c'est quand Cléopâtre parle qu'elle surprend et «ravit»; les propos qu'elle énonce, vifs et intelligents, sont dits d'une voix suave «qui assaisonnait tout ce qu'elle disait» et tenait sous son charme les auditeurs «qui ne pouvaient échapper à sa prise».

Véritable souveraine

Energique, volontaire, organisatrice, Cléopâtre montre très jeune son aptitude à gouverner; son désir d'exercer le pouvoir s'exprime fort tôt quand, à dix-huit ans, chassée du trône, elle met tout en œuvre pour y revenir. Menant un habile politique sur le plan intérieur, elle élimine les opposants, s'allie le clergé égyptien et les indigènes, prend des mesures économiques qui enrichissent le trésor royal. Après Actium, elle prend soin de faire inscrire sur la liste d'éphébie Césarion et son beau-fils Antyllus : elle veut rassurer l'Egypte qui souhaite peut-être, maintenant, la présence d'un homme au pouvoir. Dans le domaine de la politique extérieure, elle agit avec subtilité. Elle tient, en effet, à préserver l'indépendance de l'Egypte, pion non négligeable sur l'échiquier de la conquête romaine. L'entente cordiale avec Rome – ou un Romain – est donc indispensable. En même temps, elle pratique une politique complexe d'alliance et de dissuasion avec les Etats voisins.

L'Epoque moderne : une vision réductrice...

Superbe et immorale : ces deux facettes simplificatrices de la personnalité mythique de Cléopâtre s'accentuent pourtant au cours des siècles pour aboutir chez un historien contemporain à son assimilation à une «courtisane qui brille aux dépens des honnêtes femmes».

Aussi ne s'étonne-t-on pas de retrouver tous les vices héréditaires de la dynastie accumulés dans le tempérament de la belle, ambitieuse et impudente courtisane, qui, comme une fleur vénéneuse éclose sur une tige malsaine, allait être la dernière gloire et la dernière flétrissure de la maison des Lagides. Ce que la légende lui prodigue et que l'histoire ne lui conteste pas, c'est le don de plaire, une puissance de séduction qui tenait moins peut-être à sa beauté qu'à la vivacité et à la souplesse de son intelligence. Plutarque prétend que Cléopâtre savait presque toutes les langues orientales, tandis que ses ancêtres n'avaient jamais eu la curiosité ou la patience d'apprendre l'égyptien et que certains d'entre eux avaient même oublié le parler macédonien. [...] La douceur de sa voix ajoutait au charme de sa conversation. C'est un trait de ressemblance de plus avec les courtisanes célèbres de l'Antiquité, de celles qui brillaient aux dépens des honnêtes femmes condamnées à vivre, ignorantes et vulgaires, dans l'ombre du gynécée.

A. Bouché-Leclercq,
Histoire des Lagides, chapitre XV,
Editions Leroux, Paris, 1904

... contestée au nom du bon sens

Paul-Marius Martin, latiniste, critique avec véhémence cette interprétation erronée.

La véritable victoire d'Octavien

Qui se souvient d'Actium? [...] Victoire incertaine et peu glorieuse élevée à la hauteur d'un mythe politique, Actium a duré ce qu'a duré ce mythe, l'espace d'un principat qui prétendait réconcilier république et monarchie. Auguste mort – ou dieu –, son épiphanie tomba dans l'oubli, sauf chez les historiens. [...]

Non! la grande victoire d'Octavien Auguste, à jamais, c'est d'avoir brûlé les papiers de César – tous les papiers, non seulement ses lettres personnelles adressées à Cléopâtre, que celle-ci lui tendit maladroitement pour arracher à son «fils» un peu de pitié, mais surtout les papiers qu'Antoine possédait depuis le lendemain des ides de mars 44, depuis quatorze années. Victoire de criminel, de censeur de l'Histoire, faisant disparaître les preuves de tout ce qui n'est pas la norme de la vérité officielle; victoire grâce à laquelle, sur les ultimes desseins de César, et sur la plus ou moins grande conformité de l'action d'Antoine à ces desseins, nous sommes à jamais réduits à des conjectures, dont la première tient dans la rédaction même de ces ultimes desseins.

P.-M. Martin,
Antoine et Cléopâtre,
Albin Michel, 1990

La gloire suspecte d'Antoine et de Cléopâtre

Son autre victoire est [...] l'image qu'en dépit des efforts des philologues [...] la postérité garde, quand elle la garde, d'Antoine et de Cléopâtre : l'ivrogne et la putain. [...]

La peinture a tenu bon à travers les siècles. Lucain ne voit dans Cléopâtre, maîtresse de César, que «la sœur incestueuse», «la honte de l'Egypte, l'Erinye féroce du Latium, dont l'impureté a fait le malheur de Rome».

Comment en vouloir à Antoine, quand César est entré dans son lit le premier? [...] En Egypte, le souvenir de Cléopâtre tourne à la légende dorée. Les érudits coptes chantent en elle «la plus avisée des femmes d'Egypte» et le peuple lui attribue la plupart des grands monuments d'Alexandrie, comme César a un peu partout en France ses «chaussées» et ses «camps».

Cependant, à mesure que le temps passe, les visages sont réduits à leurs traits dominants, jusqu'à ce qu'il ne reste plus d'eux que leur caricature, ainsi brossée par l'auteur anonyme des *Hommes illustres de la Ville de Rome* : «Perdu d'amour pour Cléopâtre, [Antoine] fut vaincu au rivage d'Actium par Auguste. Rentré à Alexandrie, s'étant assis en roi sur un siège royal, il se donna la mort.» Voici Antoine enserré pour l'éternité dans le honteux habit royal. Quant à Cléopâtre, «par son charme et ses dernières faveurs, elle obtint de César la mort de Ptolémée, qu'elle avait voulu dépouiller de sa couronne. Elle était si libidineuse que souvent elle se prostitua; si belle que bien des hommes achetèrent de leur existence la faveur d'une nuit avec elle». A deux mensonges par phrase, il est difficile de faire mieux dans la calomnie!

P.-M. Martin,
Idem

Le parti pris des Anciens dénoncé dès l'époque classique

La Calprenède (1610-1663), dans le vaste roman précieux qu'il commence en 1646, fait dire à un de ses héros à propos de Cléopâtre :

Ses ennemis ont voulu noircir sa réputation, je suis obligé en conscience, comme celui de tous les hommes à qui la vérité est la mieux connue, de justifier sa mémoire contre la calomnie.

La Calprenède

Marmontel (1723-1799), disciple de Voltaire, écrit :
L'histoire n'est intéressante que dans sa partie morale, c'est-à-dire, qu'autant qu'elle en est le tableau des vices, des vertus, des passions. [...] Sur ce principe je ne connais point de morceau d'histoire plus intéressant que la vie de Cléopâtre; non seulement parce qu'elle tient aux circonstances les plus frappantes de l'histoire Romaine mais parce que Cléopâtre ou les passions qu'elles avaient allumées ont été la source de grands événements. [...]

Les historiens latins ont pris à tâche de noircir Cléopâtre et lui ont fait des critiques de tout. Il est vrai que jamais femme n'a causé tant de malheurs mais il n'en fut jamais de cause plus innocente.

Marmontel,
Cléopâtre d'après l'histoire, 1752

Alexandria ad Aegyptum

De la prestigieuse Alexandrie, que fonda Alexandre le Grand en – 332, de cette splendide cité connue pour sa richesse, ses monuments, son activité intellectuelle et artistique, il ne reste rien. Nous pouvons toutefois l'imaginer, à partir des pages que nous laisse Strabon.

Le géographe grec Strabon, qui séjourna longtemps à Alexandrie à l'époque de Cléopâtre, nous offre dans sa Géographie *une description détaillée de la cité égyptienne «sise près de l'Egypte».*

Le terrain qu'occupe la ville a la figure d'une chlamyde, dont la longueur, déterminée par les deux côtés, baignés l'un par la mer, l'autre par le lac, est d'environ 30 stades : les isthmes qui en marquent la largeur ont chacun 7 ou 8 stades et sont resserrés entre la mer et le lac. La ville entière est traversée par des rues assez larges pour le passage des chevaux et des voitures; outre deux rues qui ont plus d'un plèthre de largeur, et qui se coupent l'une l'autre en deux parties à angle droit.

La ville renferme de superbes emplacements ou jardins publics, et des palais royaux qui occupent le quart ou même le tiers de son étendue, car chacun des rois, jaloux d'embellir à son tour de quelque nouvel ornement les édifices publics, ne l'était pas moins d'ajouter dans les palais royaux quelque construction à

celles qui existaient déjà; en sorte qu'on pourrait maintenant appliquer à ces palais les paroles du poète : *Ils sortent les uns des autres.* En effet, tous ces édifices, situés sur le port, et même ceux qui s'étendent au-delà, sont contigus entre eux. [...]

Le *Museum* fait partie du palais des rois; il renferme une promenade, un lieu garni de sièges, pour les conférences, et une grande salle, où les savants qui composent le *Museum* prennent en commun leurs repas. Cette société a des revenus communs; elle a pour directeur un prêtre, nommé autrefois par les rois, maintenant par l'empereur.

Le lieu appelé *Sôma* fait aussi partie du même palais : c'est une enceinte qui renferme les tombeaux des rois et celui d'Alexandre. [...]

Elle est baignée de deux côtés par une mer : au nord, par la mer d'Egypte; au sud, par le lac *Marea*, qu'on appelle aussi *Maréotis*. Ce lac est rempli par les eaux du Nil, dérivées dans des canaux nombreux, qui viennent s'y rendre sur le côté ou à l'extrémité supérieure. Les marchandises que ces canaux amènent sont en plus grande quantité que celles qui arrivent par mer, aussi le port sur le lac est-il plus riche que le port maritime, parce que les exportations d'Alexandrie sont bien plus considérables que les importations; c'est ce que savent ceux qui, ayant été à Alexandrie et à Dicaearchie, ont observé, dans les deux endroits, si les bâtiments de transport expédiés de l'un à l'autre sont plus ou moins chargés à leur arrivée qu'à leur départ.

Outre la richesse provenant des marchandises apportées de chaque côté dans les deux ports, l'un sur la mer, l'autre sur le lac, la salubrité de l'air est encore une chose digne de remarque : cette salubrité est due à ce que la ville est baignée de deux côtés, et à l'avantage qui résulte des inondations du Nil. En effet, dans les autres villes, situées sur le bord des lacs, l'air devient, pendant les chaleurs de l'été, lourd et étouffant, parce que l'évaporation causée par l'ardeur du soleil fait retirer les eaux des lacs, dont les bords deviennent alors marécageux. Les vapeurs humides qui s'exhalent de ces endroits fangeux corrompent l'air; il devient insalubre et engendre des maladies pestilentielles. A Alexandrie, au contraire, les eaux du Nil, venant à croître au commencement de l'été, remplissent le bassin du lac, et ne laissent subsister aucune partie marécageuse d'où pourraient s'élever de dangereuses exhalaisons. De plus, c'est à cette même époque que soufflent du nord les vents étésiens, qui arrivent après avoir traversé une si vaste étendue de mer : aussi l'été est pour les Alexandrins une saison très agréable. [...]

Canope est une ville située à 120 stades d'Alexandrie, si l'on prend la route de terre; elle tire son nom de Canobe, pilote de Ménélas, qui mourut ici même; elle possède le sanctuaire de Sérapis, objet d'une grande vénération, car il s'y opère des guérisons, en sorte que les gens de la plus haute qualité y ajoutent foi et viennent s'endormir là pour leur propre guérison, ou bien d'autres s'endorment à leur place; certains consignent même par écrit ces guérisons, d'autres des preuves de l'efficacité des oracles qui y sont rendus. Mais ce qui surpasse tout, c'est la foule de ceux qui, lors de la fête, viennent d'Alexandrie par le canal; toute la journée et toute la nuit regorgent de monde : les uns, montés sur les barques, s'abandonnent aux accents de la flûte et aux danses, sans contrainte et avec la dernière licence, hommes et femmes mêlés, tandis que les autres ont à Canope même des retraites situées près du canal et fort propres au repos et aux plaisirs de cette espèce.

Strabon,
Géographie

Pompée et Auguste

La célébrité de Cléopâtre vient, pour une bonne part, des illustres protagonistes de son histoire; parmi eux, outre César et Antoine, Pompée et Auguste.

La mort de Pompée

C'est Pompée le Grand (Magnus) qui a placé sur le trône égyptien le père de Cléopâtre; Lucain, dans l'épopée qu'il consacre au Romain, au Ier siècle après J.-C., fait le récit indigné de sa mort, commandée par le frère de la reine, le jeune roi Ptolémée XIII.

Déjà était venu le terme de sa dernière heure; emporté dans la barque de Pharos, il avait déjà perdu tout droit sur lui-même. Alors les monstrueux satellites du roi se mettent à tirer le fer. [...]

Cependant Magnus, sous les coups sonores frappant son dos et sa poitrine, avait conservé la noble dignité de sa beauté auguste; son visage ne marquait que de l'irritation contre les dieux; les derniers instants n'avaient rien altéré de l'expression ni des traits du héros : c'est le témoignage de ceux qui virent sa tête tranchée. Car le cruel Septimius invente, dans l'accomplissement même du crime, un crime plus grand encore : il arrache le voile qui couvrait la face auguste de Magnus expirant, il saisit la tête qui palpite encore et place en travers sur un banc de rameur le cou qui s'affaisse. Alors il tranche muscles et veines, il brise les vertèbres, longuement. [...]

O destin de la dernière ignominie! Pour qu'un enfant impie reconnaisse Magnus, cette chevelure hérissée, objet de la vénération des rois, ornement d'un front généreux, une main la saisit et, sur une lance de Pharos, tandis que la face vit encore et que des râles agitent la bouche en un dernier murmure, tandis que les yeux encore dévoilés se figent, on plante cette tête.

Lucain,
La Pharsale, VIII

LA. MORT. DE. POMPÉE.
A. PARIS.
Chez. A. De Sommauille & A. Courbé

Dans la tragédie de Corneille, La Mort de Pompée, *datant de 1643, la veuve éplorée et héroïque du général romain, arrivée en Egypte avec l'urne contenant les cendres de son époux, s'adresse à César.*

Cornélie. – J'ai vu mourir Pompée et ne
　　　　　　　　　　　[l'ai point suivi
Et bien que le moyen m'en ait été ravi,
[...] Je dois rougir pourtant, après un tel
　　　　　　　　　　　[malheur,
De n'avoir pu mourir d'un excès de
　　　　　　　　　　　[douleur :
Ma mort était ma gloire et le destin m'en
　　　　　　　　　　　[prive [...]
Je dois bien toutefois rendre grâces aux
　　　　　　　　　　　[dieux
De ce qu'en arrivant je te trouve en ces
　　　　　　　　　　　[lieux,
Que César y commande, et non pas
　　　　　　　　　　　[Ptolémée. [...]

Pierre Corneille,
La Mort de Pompée, 1643

Octave-Auguste

C'est avec le personnage discuté d'Octave-Auguste que se clôt l'histoire de Cléopâtre; si Corneille, dans Cinna *(1641), met en lumière sa clémence, Voltaire, dans son* Dictionnaire philosophique, *présente une interprétation très critique du «princeps».*

Il est avéré que cet homme si immodérément loué d'avoir été le restaurateur des mœurs et des lois, fut longtemps un des plus infâmes débauchés de la république romaine. [...]

　Autant qu'Auguste se livra longtemps à la dissolution la plus effrénée, autant son énorme cruauté fut tranquille et réfléchie. Ce fut au milieu des festins et des fêtes qu'il ordonna des proscriptions; il y eut près de trois cents sénateurs et proscrits, deux mille chevaliers, et plus de cent pères de famille obscurs, mais riches, dont tout le crime était dans leur fortune. [...]

　Il n'est que trop certain que le monde fut ravagé, depuis l'Euphrate jusqu'au fond de l'Espagne, par un homme sans pudeur, sans foi, sans honneur, sans probité, fourbe, ingrat, avare, sanguinaire, tranquille dans le crime, et qui, dans une république bien policée, aurait péri par le dernier supplice au premier de ses crimes. [...]

　Il me semble qu'il fut toujours plus impitoyable que clément : car après la bataille d'Actium il fit égorger le fils d'Antoine au pied de la statue de César, et il eut la barbarie de faire trancher la tête au jeune Césarion, fils de César et de Cléopâtre, que lui-même avait reconnu pour roi d'Egypte. [...]

　On sait que César, son père adoptif, fut assez grand pour pardonner à presque tous ses ennemis; mais je ne vois pas qu'Auguste ait pardonné à un seul. Je doute fort de sa prétendue clémence envers Cinna. [...] Si l'aventure de Cinna est vraie, Auguste ne pardonna que malgré lui, vaincu par les raisons ou par les importunités de Livie, qui avait pris sur lui un grand ascendant, et qui lui persuada, dit Sénèque, que le pardon lui serait plus utile que le châtiment. Ce ne fut donc que par politique qu'on le vit une fois exercer la clémence; ce ne fut certainement point par générosité.

　Comment peut-on tenir compte à un brigand enrichi et affermi, de jouir en paix du fruit de ses rapines, et de ne pas assassiner tous les jours les fils et les petits-fils des proscrits quand ils sont à genoux devant lui et qu'ils l'adorent! Il fut un politique prudent, après avoir été un barbare.

Voltaire,
Dictionnaire philosophique

Ses amours avec César

Plus que l'alliance politique de Cléopâtre et César, c'est leur histoire d'amour qui retiendra dès l'Antiquité l'attention des écrivains…

Vivian Leigh et Claude Rains dans le Cléopâtre de Gabriel Pascal (1945).

Pour le poète Lucain, hostile à César, la richesse et la perversité de la reine ne font qu'aggraver la faute du Romain; la description du banquet qui scelle leur union fournira une source inépuisable d'inspiration à la postérité.

Elle passe toute une honteuse nuit avec son juge, qu'elle a séduit. La paix une fois assurée par le chef et payée au prix d'immenses présents, un festin célèbre la joie d'un si grand événement, et Cléopâtre étale un luxe tapageur, que la société romaine n'avait pas encore admis. Le lieu en était comme un temple, tel qu'en élèverait à peine une époque plus corrompue; les voûtes lambrissées étaient chargées de richesses; d'épaisses lames d'or cachaient les pièces de bois; les marbres, mais non pas découpés en placages superficiels, faisaient briller la demeure; il s'y dressait des masses entières et solides d'agate et de porphyre; c'était dans tout le palais une

profusion d'onyx sur lequel on marchait; l'ébène maréotique ne recouvre pas les vastes jambages des portes, mais s'y dresse au lieu du chêne vulgaire, servant de support et non pas d'ornement à la demeure. L'ivoire revêt les galeries de l'atrium, et sur les portes sont appliquées les écailles de la tortue indienne, coloriées à la main, émaillées de taches dans chacune desquelles s'enchâsse une émeraude. Les gemmes étincellent sur les lits, le jaspe donne aux buffets de fauves reflets; des tapis resplendissent : la plupart ont été longtemps trempés dans la pourpre de Tyr et ont passé dans plus d'une cuve de cuivre pour bien absorber la drogue; d'autres brillent de brocarts d'or, d'autres sont fulgurants d'écarlate, dans la manière artistique qu'ont les Egyptiens d'ourdir leurs tissus. Puis c'est une multitude d'esclaves, un peuple de serviteurs. [...]

Sur les lits ont pris place le roi et la reine, et, plus grande puissance qu'eux, César : Cléopâtre a fardé sans mesure sa beauté malfaisante, peu contente du sceptre qu'elle a et du frère qui est son époux; couverte des dépouilles de la mer Rouge, sur son cou, dans ses cheveux elle porte des trésors; le poids de sa parure l'accable; la blancheur de sa poitrine éclate à travers un voile de Sidon, fait d'un tissu pressé par le peigne des Sères, que l'aiguille du Nil a séparé en desserrant les fils pour élargir l'ouvrage. Alors sur des pieds d'ivoire on a posé des tables rondes en bois des forêts de l'Atlas, telles qu'il ne s'en offrit jamais à la vue de César, même quand il eut vaincu Juba. Quel aveuglement, quel délire d'une vanité insensée, que d'étaler toutes ses richesses devant un chef de guerres civiles, que d'allumer les désirs d'un hôte armé!

Lucain,
La Pharsale, X

C'est au début du XVIe siècle que le public cultivé français, après l'Italie, découvre Cléopâtre : en 1519, la maîtresse de François Ier, Françoise de Foix, fait traduire pour la première fois La Vie d'Antoine, *de Plutarque, qui devient* La Vie et Faicts de Marc Antoine le triumvir et sa mye Cléopâtre, translatés de l'historien Plutarque. *La traduction d'Amyot, en 1559, remporte un véritable triomphe. L'œuvre de Boccace,* De claris mulieribus, *où se trouve rapportée la vie de Cléopâtre «avaricieuse, cruelle et luxurieuse», avait été traduite en français en 1493, 1538 et 1551. Il est naturel alors de voir son nom associé à celui de César, sous la plume de ceux qui, au XVIe siècle, parlent d'amour et de puissance; pour Montaigne, César, «un des trois maîtres du monde», n'échappe pas à l'amour : «Jamais homme ne fut plus adonné aux plaisirs amoureux. [...] Il eut le pucelage de cette tant renommée reine d'Egypte, Cleopatra, témoin le petit Césarion qui en naquit.»*

Cléopâtre n'échappe pas au courant précieux : le poète Benserade (1612-1691) compose en 1634 une tragédie intitulée Cléopâtre; *la* Cléopâtre *de La Calprenède, immense roman au goût du jour, relate les aventures de la fille de la reine égyptienne. L'action débute à Alexandrie «après la mort déplorable de l'infortuné Antoine et de la grande reine Cléopâtre qui perdirent dans cette malheureuse cité l'empire et la vie, il y a dix ans».*

Le grand César et la reine Cléopâtre vécurent dans des délices et dans les libertés toutes entières, et quoique ce mariage demeurât secret entre nous [...] ils donnèrent des nuits à leurs contentements. [...] Cléopâtre ne vivait qu'en César, lui idolâtrait Cléopâtre.

La Calprenède,
Cléopâtre

A la même époque, en 1643,
Corneille compose
une Mort de Pompée *dans laquelle,*

héroïne généreuse
autant qu'ambitieuse, Cléopâtre
mène des amours raffinées avec César.

CLÉOPÂTRE
Je sais ce que je dois au souverain bonheur
Dont me comble et m'accable un tel excès d'honneur.
Je ne vous tiendrai plus mes passions secrètes :
Je sais ce que je suis; je sais ce que vous êtes.
Vous daignâtes m'aimer dès mes plus jeunes ans;
Le sceptre que je porte est un de vos présents;
Vous m'avez par deux fois rendu le diadème :
J'avoue, après cela, seigneur, que je vous aime,
Et que mon cœur n'est point à l'épreuve des traits
Ni de tant de vertus, ni de tant de bienfaits.
Mais, hélas! ce haut rang, cette illustre naissance,
Cet état de nouveau rangé sous ma puissance,
Ce sceptre par vos mains dans les miennes remis,
A mes vœux innocents sont autant d'ennemis.
Ils allument contre eux une implacable haine :
Ils me font méprisable alors qu'ils me font reine;
Et si Rome est encor telle qu'auparavant,
Le trône où je me sieds m'abaisse en m'élevant;
Et ces marques d'honneur, comme titres infâmes,
Me rendent à jamais indigne de vos flammes.
J'ose encor toutefois, voyant votre pouvoir,
Permettre à mes désirs un généreux espoir.
Après tant de combats, je sais qu'un si grand homme
A droit de triompher des caprices de Rome,
Et que l'injuste horreur qu'elle eut toujours des rois
Peut céder, par votre ordre, à de plus justes lois;
Je sais que vous pouvez forcer d'autres obstacles :
Vous me l'avez promis et j'attends ces miracles.
Votre bras dans Pharsale a fait de plus grands coups,
Et je ne les demande à d'autres dieux qu'à vous.
CÉSAR
Tout miracle est facile où mon amour s'applique.

Corneille,
La Mort de Pompée

«Tu seras la plus dangereuse des conquêtes de César!»

Dans Caesar and Cleopatra *(1901) de l'humoriste George Bernard Shaw, Cléopâtre est la jeune fille coquette dont l'illustre César fera l'éducation politique, diplomatique et amoureuse. Elle est présentée comme naïve, malléable et imprévisible, évoluant dans l'ombre du grand César.*

César. – César ne mange jamais de femmes.
Cléopâtre. – Quoi!
César. – Mais il mange les jeunes filles. Et les chats. Tu es une naïve petite fille; et tu es la descendante de la chatte noire. Tu es à la fois jeune fille et chatte.
Cléopâtre. – Me mangera-t-il?
César. – Oui, à moins que tu lui prouves que tu es une femme.
Cléopâtre. – Oh, tu dois être un grand sorcier pour faire de moi une femme. Es-tu un grand sorcier? […]
César. – Quelle que soit ta frayeur – même si César est terrible – tu dois le confronter comme une femme courageuse et une grande reine; n'aie pas peur. […] S'il t'estime capable de régner, il t'accueillera sur son trône, à ses côtés, et fera de toi le véritable souverain d'Egypte. […]
Cléopâtre. – Je ferai tout ce que tu voudras. Je serai obéissante. Je serai ton esclave.
(César lui indique comment déployer son autorité vis-à-vis de sa bonne rebelle, Ftatateeta; Cléopâtre applique ses consignes à la lettre.)
Cléopâtre. – Je suis une vraie reine enfin, une vraie reine véritable! Cléopâtre la reine! Oh je t'aime pour m'avoir fait reine!

César. – Mais les reines n'aiment que les rois.
Cléopâtre. – Je ferais rois les hommes que j'aime. Je te ferais roi. J'aurais beaucoup de jeunes rois aux bras forts et ronds; et lorsque j'en serais lasse, je les fouetterai à mort; mais toi, tu seras toujours mon roi, mon sage, gentil et bon vieux roi.
César. – Ah, mes rides, mes rides! Et mon cœur d'enfant! Tu seras la plus dangereuse des conquêtes de César!

George Bernard Shaw,
Caesar and Cleopatra, 1901

Perdue par sa beauté

A la fin de L'Opéra de quat' sous, *Jenny chante au son de l'orgue de barbarie ces strophes, sorte de ballade des dames et des hommes du temps jadis.*

Où est Cléopâtre la belle?
Vous savez ce qu'elle est devenue.
Deux empereurs brûlaient pour elle,
La débauche en fit une grue :
Elle flétrit et redevint poussière.
Babylone était grande et fière!
Pourtant le soir est descendu
Et vous savez ce qui s'est passsé :
C'est sa beauté qui l'a perdue.
Bienheureux qui sait s'en passer!

Où est César l'audacieux?
Vous savez ce qu'il est devenu.
Adoré à l'égal d'un dieu,
En pleine gloire, c'est connu,
Il fut saigné comme un mouton
Et cria «Toi aussi, fiston!»
Et puis le soir est descendu
Et vous savez ce qui s'est passé :
C'est son audace qui l'a perdu.
Bienheureux qui sait s'en passer!

Bertolt Brecht,
L'Opéra de quat'sous, 1955

La guerre d'Alexandrie

Cet épisode spectaculaire qu'est la guerre menée par César et Cléopâtre, enfermés dans la cité assiégée, contre les troupes égyptiennes, conduites par Ptolémée XIII, sert souvent de prétexte pour louer les qualités stratégiques et le courage de César.

A gauche, le camp de César; à droite, celui de Ptolémée

L'attaque des Alexandrins

Le texte anonyme du Bellum Alexandrinum *(Ier siècle av. J.-C.), souvent attribué à Hirtius, un des généraux de César, présente l'attaque énergique des Alexandrins.*

De leur côté, les Alexandrins ne mettaient dans leurs activités ni hésitation ni retard. En effet, ils avaient dépêché dans toutes les régions où s'étendent le territoire et le royaume d'Egypte des envoyés et des recruteurs pour faire des levées, avaient amassé dans la place un grand nombre de traits et de machines de jet et amené des troupes en quantité innombrable. Ils n'avaient pas négligé d'installer dans la ville d'immenses fabriques d'armes. En outre, ils avaient armé les esclaves adultes, auxquels les maîtres les plus riches fournissaient la nourriture quotidienne et une solde. En répartissant cette multitude, ils protégeaient les défenses des quartiers éloignés. Quant aux cohortes de vétérans, ils les tenaient disponibles dans les régions les plus peuplées de la ville, afin qu'elles pussent, quel que fût le lieu du combat, être mises en ligne pour apporter le secours de leurs forces intactes. Ils avaient barré toutes les rues et ruelles d'un triple retranchement (il était construit en pierres de taille et n'avait pas moins de quarante pieds de haut) et tous les quartiers de la ville situés en contrebas, ils les avaient munis de

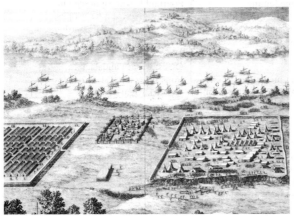

très hautes tours, à dix étages. En outre, ils en avaient édifié d'autres, mobiles, d'autant d'étages, et grâce à des roues disposées par-dessous, des câbles et des chevaux ils les menaient par les rues rectilignes dans tous les endroits où il leur paraissait à propos.

Hirtius?, *Bellum Alexandrinum*

L'incendie

Lucain s'attarde sur la description de l'incendie qui ravage la cité, mais ne dit mot de la destruction de la Bibliothèque.
Il empêche d'approcher ici par l'épée, là par le feu; assiégé, – telle est la constance de son âme! – il fait œuvre d'assiégeant. Il ordonne de lancer des torches plongées dans la poix liquide sur les carènes unies pour le combat; le feu n'est pas lent à gagner les cordages de chanvre et les planches suintant de cire; en même temps s'embrasent les bancs des rameurs et les cordes fixant les vergues au sommet des mâts. Déjà les vaisseaux à demi consumés s'enfoncent dans les eaux; déjà ennemis et armes flottent. Et le feu n'a pas fondu seulement sur les navires; mais les édifices voisins de la mer deviennent la proie des flammes propagées; les coups du notus attisent le désastre; battue par l'ouragan, la flamme court de toit en toit non moins vite que ne fait, à travers l'espace, avec sa traînée lumineuse, le météore, que rien n'alimente et qui ne tire son foyer que du mouvement de l'air. Cet incendie rappelle pour un moment au secours de la ville la multitude qui assiège le palais.

Lucain,
La Pharsale, X

Le manteau rouge du général

C'est au cours de l'attaque de l'heptastade que César se signale pour ses grandes capacités d'athlète. Rabelais, après Suétone et avant Montaigne, écrit en 1534 dans Gargantua *à propos de son héros :
«Nager en profonde eau, à l'endroit, à l'envers, de côté, de tout le corps, des seuls pieds, une main en l'air, en laquelle tenant un livre, traverser toute la rivière de Seine sans icelui mouiller, et tirant son manteau par les dents, comme faisait Jules César.»*
Dans Alexandrie, pendant l'attaque d'un pont, une brusque sortie de l'ennemi l'obligea de sauter dans une barque, mais, comme un grand nombre de soldats s'y précipitaient aussi, il s'élança dans la mer et nagea sur une longueur de deux cents pieds jusqu'au navire le plus proche, tenant la main gauche levée, afin de ne pas mouiller les écrits qu'il portait, et serrant entre ses dents son manteau de général, pour ne pas laisser à l'ennemi cette dépouille.

Suétone, *Vie des douze Césars*

Quand les anciens Grecs voulaient accuser quelqu'un d'extrême insuffisance, ils disaient en commun qu'il ne savait ni lire ni nager. [César] avait cette même opinion, que la science de nager est très utile à la guerre, et en tira plusieurs commodités : s'il avait à faire diligence, il franchissait ordinairement à nage les rivières qu'il rencontrait, car il aimait à voyager à pied comme le grand Alexandre. En Egypte, ayant été forcé, pour se sauver, de se mettre dans un petit bateau, et tant de gens s'y étant lancés, quand il vit qu'il était en danger d'aller au fond, il aima mieux se jeter en la mer et gagner la flotte à la nage, qui était plus de deux cents pas de là, tenant en sa main gauche ses tablettes hors de l'eau et traînant à belles dents sa cotte d'armes, afin que l'ennemi n'en jouit, étant déjà bien avancé sur l'âge.

Montaigne,
Les Essais, II, 34

Cléopâtre et Antoine

Tout, dans l'histoire qui unit onze ans Cléopâtre et Antoine, peut frapper l'esprit et nourrir les phantasmes : leur rencontre spectaculaire à Tarse, leurs pouvoirs et leurs titres, leur amour au-delà des conventions, leur vie fastueuse en Orient, leurs fins pathétiques, leur grandeur et leur misère.

La rencontre de Tarse

Elle se mit à remonter le Cydnus sur un navire à la poupe d'or, avec des voiles de pourpre déployées et des rames d'argent manœuvrées au son de la flûte marié à celui des cyrinx et des cithares.

Elle-même était étendue sous un dais brodé d'or et parée comme les peintres représentent Aphrodite. Des enfants pareils aux Amours qu'on voit sur les tableaux, debout de chaque côté d'elle, la rafraîchissaient avec des éventails. Pareillement, les plus belles de ses servantes, déguisées en Néréides et en Grâces, étaient les unes au gouvernail, les autres aux cordages.

De merveilleuses odeurs exhalées par de nombreux parfums embaumaient les deux rives. Beaucoup de gens accompagnaient le navire de chaque côté dès l'embouchure du fleuve, et beaucoup d'autres descendaient de la ville pour jouir du spectacle.

La foule qui remplissait la place

publique se précipitant au-dehors, Antoine finit par rester seul sur l'estrade où il était assis. Le bruit se répandit partout que c'était Aphrodite qui, pour le bonheur de l'Asie, venait en partie de plaisir chez Dionysos. Antoine envoya sur-le-champ la prier à dîner, mais elle demanda que ce fût plutôt lui qui vînt chez elle. Aussitôt, voulant lui témoigner courtoisie et complaisance, il se rendit à son invitation.

Il trouva près d'elle des préparatifs défiant toute expression, mais il fut surtout frappé de l'abondance des lumières : il y en avait tant, dit-on, à briller de toutes parts à la fois,

suspendues et inclinées de tant de façons, ou droites les unes en face des autres, et rangées en rectangles ou en cercles que, de tous les spectacles magnifiques et dignes d'être contemplés, on en connaît peu de comparables à cette illumination.

Le lendemain, Antoine, la traitant à son tour, mit son point d'honneur à la surpasser en splendeur et en élégance, mais, ayant le dessous et étant vaincu sur ces deux points, il fut le premier à railler la mesquinerie et la grossièreté de sa réception.

Plutarque,
Vie d'Antoine, 25, 26, 27

La rencontre de Tarse, version XIXᵉ

En 1893, le poète parnassien Heredia cisèle des alexandrins grandioses à la gloire d'Antoine et Cléopâtre.

LE CYDNUS

Sous l'azur triomphal, au soleil qui flamboie
La trirème d'argent blanchit le fleuve noir
Et son sillage y laisse un parfum d'encensoir
Avec des sons de flûte et des frissons de soie.

A la proue éclatante où l'épervier s'éploie,
Hors de son dais royal se penchant pour mieux voir,
Cléopâtre debout en la splendeur du soir
Semble un grand oiseau noir qui guette au loin sa proie.

Voici Tarse, où l'attend le guerrier désarmé;
Et la brune Lagide ouvre dans l'air charmé
Ses bras d'ambre où la pourpre a mis des reflets roses.

Et ses yeux n'ont pas vu, présage de son sort,
Auprès d'elle, effeuillant sur l'eau sombre des roses,
Les deux enfants divins, le Désir et la Mort.

José Maria de Heredia,
«Rome et les Barbares»
Les Trophées, 1893

ANTOINE ET CLÉOPÂTRE

Tous deux ils regardaient, de la haute terrasse,
L'Egypte s'endormir sous un ciel étouffant
Et le fleuve, à travers le Delta noir qu'il fend,
Vers Bubaste ou Saïs rouler son onde grasse.

Et le Romain sentait sous son épaisse cuirasse,
Soldat captif berçant le sommeil d'un enfant,
Ployer et défaillir, sur son cœur triomphant,
Le corps voluptueux que son étreinte embrasse;

Tournant sa tête pâle entre ses cheveux bruns
Vers celui qu'enivraient d'invincibles parfums,
Elle tendit sa bouche et ses prunelles claires;

Et sur elle courbé, l'ardent Imperator
Vit dans ses larges yeux étoilés de points d'or
Toute une mer immense où fuyaient des galères.

José Maria de Heredia,
Les Trophées

La vie inimitable

Parquoi elle surprit tellement Antoine de son amour, que combien que sa femme Fulvie fût à Rome en grand différend et en guerre ouverte pour ses affaires à l'encontre de César, et que l'armée des Parthes, dont les lieutenants du roi avaient donné la principale conduite à Labiénus, fût toute assemblée en la Mésopotamie, prête à entrer dans la Syrie, néanmoins comme si tout cela ne lui eût touché en rien, il se laissa emmener par elle en Alexandrie, là où il dépensa et perdit en jeux d'enfants, par manière de dire, et oiseux ébattements, la plus chère et plus précieuse chose que l'on saurait dépenser, comme dit Antiphon, c'est le temps : car ils firent entre eux une bande qu'ils appelèrent Amimetobion, c'est-à-dire la vie non pareille, et qu'autres ne sauraient imiter, se festoyant l'un l'autre par tour, en quoi il se faisait une dépense qui excédait toutes bornes et toute mesure de raison.

Plutarque,
Vie d'Antoine

«Sur le sujet qui contente le plus en amours»

Brantôme, dans Les Dames galantes, *prend comme exemple des effets tout-puissants de la parole les amours de Cléopâtre et d'Antoine.*

C'est pourquoy Marc Antoine ayma tant Cleopatre et la prefera à sa femme Octavia, qui estoit cent fois plus belle et aymable que la Cleopatre; mais cette Cleopatre avoit la parole si affettée et le mot si à propos, avec ses façons et graces lascives, qu'Antoine oublia tout pour son amour.

Plutarque nous en fait foy, sur aucuns brocards ou sobriquets qu'elle disoit si gentiment, que Marc Antoine, la voulant imiter, ne ressembloit en ses devis (encore qu'il voulust fort faire du gallant) qu'un soldat et gros gendarme, au prix d'elle et sa belle fraze de parler.

Pline fait un conte d'elle que je trouve fort beau, et, par ce, je le repeteray icy un peu. C'est qu'un jour, ainsi qu'elle estoit en ses plus gaillardes humeurs, et qu'elle s'estoit habillée à l'advenant et à l'advantage, et surtout de la teste, d'une guirlande de diverses fleurs convenante à toute paillardise, ainsi qu'ilz estoyent à table, et que Marc Antoine voulut boire, elle l'amusa de quelque gentil discours, et cependant qu'elle parloit, à mesure elle arrachoit de ses belles fleurs de sa guirlande, qui neantmoins estoyent toutes semées de poudres empoisonnées, et les jettoit peu à peu dans la coupe que tenoit Marc Antoine pour boire; et ayant achevé son discours, ainsi que Marc Antoine voulut porter la coupe au bec pour boire, Cleopatre luy arreste tout court la main, et ayant apposté un esclave ou criminel qui estoit là prés, le fit venir à luy, et luy fit donner à boire ce que Marc Antoine alloit avaller, dont soudain il en mourut : et puis, se tournant vers Marc Antoine, luy dit : «Si je ne vous aymois comme je fais, je me fusse maintenant defaite de vous, et eusse fait le coup volontiers, sans que je voys bien que ma vie ne peut estre sans la vostre.» Cette invention et cette parole pouvoyent bien confirmer Marc Antoine en son amitié, voire le faire croupir davantage aux costez de sa charnure.

Voilà comment servit l'eloquence à Cleopatre, que les histoires nous ont escrite tres-bien disante.

Brantôme,
Les Dames galantes,
Deuxième discours
«Sur le sujet qui contente plus en amours ou le toucher ou la vue ou la parole»

Une amoureuse exotique

Coïncidant avec la montée de l'orientalisme, domine au XIXᵉ siècle la vision romantique d'une amante voluptueuse, dépourvue de tout sens moral. La nouvelle de Théophile Gautier, Une nuit de Cléopâtre *(1838), présente l'héroïne sous un jour cruel et inquiétant.*

«Ah! continua Cléopâtre, je voudrais qu'il m'arrivât quelque chose, une aventure étrange, inattendue! Le chant des poètes, la danse des esclaves syriennes, les festins couronnés de roses et prolongés jusqu'au jour, les courses nocturnes, les chiens de Laconie, les lions privés, les nains bossus, les membres de la confrérie des inimitables, les combats du cirque, les parures nouvelles, les robes de byssus, les unions de perles, les parfums d'Asie, les recherches les plus exquises, les somptuosités les plus folles, rien ne m'amuse plus; tout m'est indifférent, tout m'est insupportable!

– On voit bien, dit tout bas Charmion, que la reine n'a pas eu d'amant et n'a fait tuer personne depuis un mois.»

L'orgie était à son plus haut degré; les plats de langues de phénicoptères et de foies de scarus, les murènes engraissées de chair humaine et préparées au garum, les cervelles de paon, les sangliers pleins d'oiseaux vivants, et toutes les merveilles des festins antiques décuplées et

centuplées, s'entassaient sur les trois pans du gigantesque triclinium. Les vins de Crète, de Massique et de Falerne, écumaient dans les cratères d'or couronnés de roses, remplis par des pages asiatiques dont les belles chevelures flottantes servaient à essuyer les mains des convives. Des musiciens jouant du sistre, du tympanon, de la sambuque et de la harpe à vingt et une cordes remplissaient les travées supérieures et jetaient leur bruissement harmonieux dans la tempête de bruit qui planait sur la fête : la foudre n'aurait pas eu la voix assez haute pour se faire entendre.

Meïamoun, la tête penchée sur l'épaule de Cléopâtre, sentait sa raison lui échapper; la salle du festin tourbillonnait autour de lui comme un immense cauchemar architectural; il voyait, à travers ses éblouissements, des perspectives et des colonnades sans fin; de nouvelles zones de portiques se superposaient aux véritables, et s'enfonçaient dans les cieux à des hauteurs où les Babels ne sont jamais parvenues. S'il n'eût senti dans sa main la main douce et froide de Cléopâtre, il eût cru être transporté dans le monde des enchantements par un sorcier de Thessalie ou un mage de Perse.

Vers la fin du repas, des nains bossus et des morions exécutèrent des danses et des combats grotesques; puis des jeunes filles égyptiennes et grecques, représentant les heures noires et blanches, dansèrent sur le mode ionien une danse voluptueuse avec une perfection inimitable.

Cléopâtre elle-même se leva de son trône, rejeta son manteau royal, remplaça son diadème sidéral par une couronne de fleurs, ajusta des crotales d'or à ses mains d'albâtre, et se mit à danser devant Meïamoun éperdu de ravissement. Ses beaux bras arrondis comme les anses d'un vase de marbre, secouaient au-dessus de sa tête des grappes de notes étincelantes, et ses crotales babillaient avec une volubilité toujours croissante. Debout sur la pointe vermeille de ses petits pieds, elle avançait rapidement et venait effleurer d'un baiser le front de Meïamoun, puis elle recommençait son manège et voltigeait autour de lui, tantôt se cambrant en arrière, la tête renversée, l'œil demi-clos, les bras pâmés et morts, les cheveux débouclés et pendants comme une bacchante du mont Ménale agitée par son dieu; tantôt leste, vive, rieuse, papillonnante, infatigable et plus capricieuse en ses méandres que l'abeille qui butine. L'amour du cœur, la volupté des sens, la passion ardente, la jeunesse inépuisable et fraîche, la promesse du bonheur prochain, elle exprimait tout.

Les pudiques étoiles ne regardaient plus, leurs chastes prunelles d'or n'auraient pu supporter un tel spectacle; le ciel même s'était effacé, et un dôme de vapeur enflammée couvrait la salle.

Cléopâtre revint s'asseoir près de Meïamoun. La nuit s'avançait, la dernière des heures noires allait s'envoler; une lueur bleuâtre entra d'un pied déconcerté dans ce tumulte de lumières rouges; comme un rayon de lune qui tombe dans une fournaise; les arcades supérieures s'azurèrent doucement, le jour paraissait.

Meïamoun prit le vase de corne que lui tendit un esclave éthiopien à physionomie sinistre, et qui contenait un poison tellement violent qu'il eût fait éclater tout autre vase. Après avoir jeté sa vie à sa maîtresse dans un dernier regard, il porta à ses lèvres la coupe funeste où la liqueur empoisonnée bouillonnait et sifflait.

Cléopâtre pâlit et posa sa main sur le bras de Meïamoun pour le retenir. Son courage la touchait; elle allait lui dire : «Vis encore pour m'aimer, je le veux…» quand un bruit de clairon se fit entendre. Quatre hérauts d'armes entrèrent à cheval dans la salle du festin; c'étaient des officiers de Marc-Antoine qui ne précédaient leur maître que de quelques pas. Elle lâcha silencieusement le bras de Meïamoun. Un rayon de soleil vint jouer sur le front de Cléopâtre comme pour remplacer son diadème absent.

«Vous voyez bien que le moment est arrivé; il fait jour, c'est l'heure où les beaux rêves s'envolent», dit Meïamoun. Puis il vida d'un trait le vase fatal et tomba comme frappé de la foudre. Cléopâtre baissa la tête, et dans sa coupe une larme brûlante, la seule qu'elle ait versée de sa vie, alla rejoindre la perle fondue.

«Par Hercule! ma belle reine, j'ai eu beau faire diligence, je vois que j'arrive trop tard, dit Marc-Antoine en entrant dans la salle du festin; le souper est fini. Mais que signifie ce cadavre renversé sur les dalles?

– Oh! rien, fit Cléopâtre en souriant; c'est un poison que j'essayais pour m'en servir si Auguste me faisait prisonnière. Vous plairait-il, mon cher seigneur, de vous asseoir à côté de moi et de voir danser ces bouffons grecs?»

Théophile Gautier,
Une nuit de Cléopâtre

Pourquoi est-elle triste?

Un an avant Gautier, l'écrivain russe Pouchkine laisse un récit inachevé, Les Nuits égyptiennes. *Dostoïevsky admirait ce texte qui lui semblait avoir parfaitement saisi l'Antiquité, avec sa volupté «d'araignée femelle dévorant les mâles».*

Quelle tristesse étreint la Reine,
Déesse de la volupté?
Que manque-t-il à sa splendeur?
Dans sa brillante capitale,
Règnent la paix, la joie, l'éclat…

Elle est maîtresse du destin.
Les dieux terrestres sont dociles
A ses caprices. Ses palais
Sont pleins de mystérieux prodiges.
Que brille le plein jour d'Afrique,
Que la nuit verse sa fraîcheur,
L'art et le luxe, épanouis,
Charment ses sens ensommeillés,
Toutes les mers, toutes les terres
Lui portent leur humble tribut
Les fêtes succèdent aux fêtes,
Pour son plaisir. Quelqu'un jamais
A-t-il goûté, du fond de l'âme,
Les doux sacrements de la nuit?…

Hélas! son cœur souffre en silence,
Il veut des joies inéprouvées.
La reine est lasse, trop comblée,
L'indifférence la tourmente…

Mais le silence au bruit succède;
La reine paraît assoupie.
Et, soudain, son front se relève.
L'orgueil brille dans son regard.
Elle dit avec un sourire :
«Soyez heureux, la Reine amante
Oublie tout ce qui nous sépare.
C'est un défi. Qui le relève?
Je suis marchande de mes nuits.
Lequel de vous veut acheter
L'amour au prix de l'existence?»

Ainsi dit-elle. La terreur
Et la passion d'amour s'emparent
De tous les cœurs. La Reine écoute,
Avec une insolence froide,
Les murmures troublés. Ses yeux
Interrogent les soupirants.
L'un d'eux se lève, puis deux autres.
Leur pas est fier, et leur regard

Assuré. L'orgueilleuse Reine
Marche au-devant de ses victimes.
Trois de ses nuits sont achetées.
La couche de la mort est prête.

Les prêtres ont béni l'amphore,
Où le destin fixe le tour
Des trois amants, devant la foule
Pétrifiée des commensaux.
Flavius, guerrier audacieux,
Blanchi sous l'arme des Césars,
Est le premier élu du sort.
Il n'a pu souffrir le mépris
De la trop orgueilleuse Reine.
Comme à la guerre, il relevait
L'appel sanglant de l'adversaire,
Il a relevé le défi
De la déesse voluptueuse.
Criton le suit, un jeune sage,
Enfant des bosquets d'Epicure,
Criton, poète et soupirant
D'amour, de Cypris, des Kharites.
Aimable aux cœurs et aux regards,
Comme une fleur à peine éclose,
Le troisième n'a point légué
Son nom au souvenir des siècles.

Un tendre duvet ombrageait
Ses joues d'adolescent timide.
Un feu brillait dans son regard;
L'ardeur des passions inexpertes
Bouillonnait au fond de son cœur…
Et l'oeil de la Reine orgueilleuse
S'emplit de tristesse à sa vue…

– Je jure… ô mère des délices,
De te servir superbement.
Vois, sur la couche voluptueuse,
Je monte en simple courtisane.
Entends, Cypris toute-puissante,
Et vous, princes des souterrains,
Et vous, dieux de l'Enfer terrible!
Je jure de combler, lascive,
Tous les désirs de mes vainqueurs,
De les lasser de volupté
Et de caresses mystérieuses…
Mais, aussitôt que l'aube pourpre
Fera briller ses premiers feux,
La tête de mes heureux amants
Tombera sous le cimeterre.
Déesse, tel est mon serment!

Pouchkine,
Les Nuits égyptiennes

Actium

Pour la majorité des historiens anciens, le gigantesque affrontement maritime d'Actium entre la flotte de Cléopâtre et d'Antoine et celle d'Octave est une défaite absolue pour la reine. Mais Cléopâtre s'enfuit-elle, poussée par la peur et suivie lâchement par Antoine, comme le veut la tradition, ou leur retraite obéit-elle à un plan soigneusement élaboré?

*Pour Virgile, qui compose l'*Enéide *en l'honneur de Rome et d'Octave-Auguste, les dieux romains sont intervenus pour écraser Cléopâtre et Antoine. Le poète décrit au chant VIII la bataille, représentée sur le bouclier d'Enée, forgé par Vulcain.*

Au centre du bouclier s'étendait au loin l'image d'une mer gonflée – d'une mer d'or, mais dont les vagues étaient blanches d'écume; à l'entour, des dauphins d'argent vif, en cercle, balayaient la plaine liquide de leurs queues et fendaient la marée. Au milieu, l'on pouvait apercevoir des flottes d'airain, la guerre d'Actium, et l'on voyait Leucate tout entière bouillonner sous l'appareil de Mars et les flots étinceler sous l'or. D'un côté, Auguste César, entraînant aux combats les Italiens, avec les sénateurs, le peuple, les Pénates et les grands dieux, debout sur une haute poupe : ses tempes heureuses vomissent une double flamme, et la constellation paternelle se déploie sur sa tête. De l'autre côté, Agrippa, secondé par les vents et les dieux, conduisant son armée, tête haute : ses tempes brillent sous les rostres de la couronne navale, insigne superbe de guerre. En face, Antoine, avec ses forces barbares et ses armes de toute sorte, revenu vainqueur de chez les peuples de l'Aurore et de la côte Rouge : il transporte avec lui l'Egypte, et les puissances de l'Orient, et la lointaine Bactriane, et il est suivi, ô abomination! d'une épouse égyptienne. Tous se ruent à la fois, et toute la plaine liquide écume, sous le jeu des rames et sous la triple dent des rostres qui la déchirent. Ils gagnent la haute mer, on croirait voir voguer sur la mer les Cyclades arrachées, ou de hautes montagnes se heurter aux montagnes tant est pesante la masse de ces poupes chargées de tours qui portent des guerriers! La main répand la flamme de l'étoupe, les traits le fer qui vole : les sillons de Neptune rougissent d'un carnage jusqu'alors inouï. Au centre, la reine entraîne ses troupes avec le sistre natal, et ne voit pas encore les deux serpents qui sont derrière elle. Des monstres de dieux de tous les genres, entre autres l'aboyant Anubis, luttent, les armes à la main, contre Neptune et Vénus, contre Minerve! On voit sévir, au milieu de la mêlée, Mavors ciselé sur le fer, et, du haut de l'éther, les tristes sœurs Farouches; la Discorde va, contente, la robe déchirée; Bellone la suit avec son fouet sanglant. Apollon d'Actium, en voyant ce spectacle, bandait son arc; en proie à la même terreur, tous les Egyptiens, les Indiens, tous les Arabes, tous les Sabéens, tournaient le dos. On voyait la reine elle-même, invoquant les vents, mettre les voiles et lâcher de plus en plus les cordages. Le Dieu puissant du feu l'avait représentée au milieu du carnage, pâle de sa mort prochaine, emportée par les ondes et l'Iapyx; en face, il avait fait le Nil au grand corps, accablé de tristesse, ouvrant le pli de sa robe, la déployant tout entière, et appelant les vaincus dans son giron d'azur et dans les cachettes de ses fleuves.

Virgile,
Enéide, VIII

La version de Plutarque est beaucoup plus nuancée; il souligne néanmoins ce qui lui paraît être la lâcheté amoureuse d'Antoine.

Le combat était encore égal, et la victoire en doute, sans incliner plus d'un côté que d'autre, quand on vit soudainement les soixante navires de Cléopâtre dresser les mâts, et déployer

voiles pour prendre la fuite; si s'enfuirent tout à travers de ceux qui combattaient, car ils avaient été mis derrière les grands vaisseaux, et mirent les autres en grand trouble et désarroi, parce que les ennemis même s'émerveillèrent fort de les voir ainsi cingler à voiles déployées vers le Péloponnèse; et là Antoine montra tout évidemment qu'il avait perdu le sens et le cœur, non seulement d'un empereur, mais aussi d'un vertueux homme, [...] tant il se laissa mener et traîner à cette femme, comme s'il eût été collé à elle, et qu'elle n'eût su se remuer sans le mouvoir aussi : car tout aussitôt qu'il vit partir son vaisseau, il oublia, abandonna et trahit ceux qui combattaient et se faisaient tuer pour lui, et se jeta en une galère à cinq rangs de rames pour suivre celle qui l'avait déjà commencé à ruiner, et qui le devait encore du tout achever de détruire.

Plutarque,
Vie d'Antoine, LXXXV

On trouve dans le long poème du Napolitain Le Tasse, «La Jérusalem délivrée», paru en 1581, des échos de la description virgilienne et de la tradition hostile à Antoine

En face est une mer dont on voit les flots Ecumants, blanchir les champs azurés. On voit au milieu, en rang de bataille,
[une double Flotte en armes, et les armes lancer des
[éclairs. L'onde est embrasée d'or, et Leucade Tout entière semble brûler des feux de
[Mars Auguste d'un côté conduit les Romains,
[de l'autre Antoine l'Orient : Egyptiens, Arabes et
[Indiens. [...] Armide, l'ensorcelante musulmane, s'enfuit comme

[...] Cléopâtre, au temps jadis
Fuyant seule la bataille et
Laissant face à l'heureux Auguste
Dans les périls de la mer son fidèle
[soupirant
Qui préféra par amour trahir son
[honneur
Et suivit bientôt les voiles de la
[solitaire.
Le Tasse

La fuite : un plan délibéré

Pour les historiens contemporains, la dérobade d'Antoine et Cléopâtre, enfermés dans le golfe d'Actium, s'explique par un plan soigneusement mûri : leur sortie programmée est leur seule solution de survie, ils espèrent de plus tenir plus facilement tête aux attaques d'Octave en Egypte ou en Syrie.

Quelles étaient les véritables intentions d'Antoine et de Cléopâtre?

La réponse à cette question a été largement faussée par la propagande augustéenne qui a dénaturé les intentions d'Antoine, mais aussi par l'analyse du déroulement de la bataille qui pourrait, a posteriori, éclairer les intentions premières du triumvir et de la reine d'Egypte. [...]

L'objectif d'Antoine – et tout le monde, aujourd'hui, peut s'accorder sur ce point – consistait à rompre le blocus maritime; pour cela, il lui fallait bien livrer bataille. [...]

Dion (50, 15, 4) témoigne du secret qui entoure le transport sur les navires, pendant la nuit, des objets les plus précieux et Plutarque (*Ant.*, 66, 4), rappelle qu'Antoine força les pilotes de ses navires à emporter les voiles, épisode dont on n'a pas d'autre exemple dans toute l'Antiquité, au moment d'une bataille. [...]

Les modernes s'accordent aujourd'hui pour reconnaître qu'Antoine n'a pas fait le plus mauvais choix. L'option retenue présentait, de toute évidence, l'avantage de préserver l'avenir, même si cela conduisait à engager le combat sur le terrain où l'ennemi était le plus fort; [...]

La «fuite» d'Antoine a provoqué les commentaires les plus divers chez les anciens comme chez les modernes.

Pour la tradition antique, Dion et Plutarque notamment, il ne fait aucun doute qu'Antoine ait trahi ses hommes, les abandonnant au milieu du combat pour suivre Cléopâtre; pour le biographe, la décision d'Antoine s'explique par son amour pour Cléopâtre qui lui fait oublier tout sens de la dignité et de l'honneur. Selon Dion Cassius (50, 33, 3), Antoine aurait interprété le départ de la reine d'Egypte comme l'annonce de son imminente défaite.

Ces explications ne sont pas suffisantes et ne peuvent nous satisfaire. Si l'on reprend le témoignage de Dion Cassius sur les intentions d'Antoine, on doit reconnaître qu'il a, au moins en partie, atteint son objectif, qui était de forcer le blocus et de parvenir à fuir. C'est peut-être cette réussite qui explique la surprise de certains de ses adversaires, lorsqu'ils voient passer les navires de Cléopâtre. Il est cependant exagéré de dire [...] qu'en réalité, Antoine et Cléopâtre ont réussi complètement leur entreprise, tandis qu'Agrippa a échoué et que, par conséquent, les césariens ont subi un échec. On s'expliquerait mal le désarroi d'Antoine, dès après sa fuite. En réalité, le triumvir n'a pu se dégager de la mêlée qu'avec un minimum de navires de guerre.

M. L. Freyburger et J. M. Roddaz,
Préface à *Dion Cassius,
Histoire romaine*, 50-51,
Belles Lettres, 1991

La bataille d'Actium

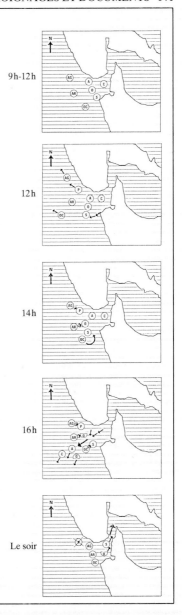

ACTIUM
Les camps lors de la bataille
et les trophées de la victoire

- - - - Limite de la zone navigable
Lagune
★ Fortifications

0   mètres   3 000

Le blocus

Les 240 navires d'Antoine et Cléopâtre ne
peuvent gagner le large bloqués par la flotte
des 406 navires d'Octave. Jusqu'à midi, les
deux adversaires restent stationnaires.

L'engagement

Agrippa feint de se replier. Poursuivi par
Publicola, il fait brutalement volte-face
attaquant et dispersant la flotte d'Antoine.

La fuite

Profitant d'une brèche, Cléopâtre gagne le

Flotte d'Octave	Flotte d'Antoine
AG Agrippa	A Antoine
AR Arruntius	O Octavius
OC Octavien	S Socius
	P Publicola
	C Cléopâtre

9h-12h

12h

14h

16h

Le soir

La mort

Préfiguration éclatante de la mort de Roméo et Juliette, les suicides de Cléopâtre et d'Antoine sont la source inépuisable de traitements littéraires, picturaux, cinématographiques...
Mais si la mort cruelle du Romain est sans ambiguïté, celle de Cléopâtre, mystérieuse, alimente encore les conjectures.

Les compagnons de la mort

Etrange épisode conté par Plutarque que cette attente de la mort, sans effroi, au milieu d'amis, à la recherche de derniers plaisirs.

Il sortit hors cette demeure qu'il avait fait bâtir sur la mer, et qu'il appelait la maison Timonienne, et le reçut Cléopâtre en son palais royal. Soudain qu'il y fut retourné, il remit toute la ville à faire banquets et grandes chères, et soi-même à donner : car il fit enrôler, selon la coutume des Romains, le fils de Jules César et de Cléopâtre au nombre des jeunes hommes, et donna la robe virile, qui était une robe longue pure sans brodure ni enrichissure de pourpre, à Antyllus son fils aîné qu'il avait eu de Fulvie; pour lesquelles choses par plusieurs jours on ne vit en Alexandrie que jeux, danses, banquets et festins. Il est vrai qu'ils abolirent cette première bande, qu'ils avaient nommée la Bande de la vie non imitable; mais ils en remirent sus une autre qu'ils appelèrent Synapothanuménon, c'est-à-dire, la

bande de ceux qui veulent mourir ensemble, laquelle en somptuosité, dépense et délices, ne cédait de rien à la première : car leurs amis se faisaient enrôler en cette bande des Commourants, et par ainsi ils étaient toujours à faire grande chère, parce que chacun à son tour festoyait la compagnie.

Plutarque,
Vie d'Antoine, XCII

La mort d'Antoine

Plutarque compose une scène aux meilleurs effets pathétiques, baroque avant l'heure par ses rebondissements et ses excès.

Il se frappa alors au ventre et se laissa choir sur son lit. Mais le coup ne causa pas immédiatement la mort; le sang s'arrêta de couler dès qu'Antoine fut étendu; il revint à lui et supplia ceux qui étaient là de l'égorger. Ils s'enfuirent de la chambre où il cria et se débattit jusqu'à l'arrivée de Diomède, secrétaire de Cléopâtre, qu'elle avait chargé de le porter auprès d'elle dans le mausolée.

Ayant donc appris qu'elle vivait, Antoine pressa vivement ses serviteurs de le prendre dans leurs bras, et ils le portèrent à l'entrée du monument. Cléopâtre n'ouvrit pas la porte, mais elle parut à une fenêtre, d'où elle fit descendre des cordes et des chaînes auxquelles on attacha Antoine, puis, aidée de deux femmes, les seules qu'elle eût admises avec elle dans le mausolée, elle le tira à elle. Il n'y eut jamais de spectacle plus pitoyable, au dire de ceux qui en furent témoins. Antoine, couvert de sang et agonisant, tendait les bras vers elle, tandis qu'elle le hissait, suspendu en l'air. Ce n'était pas pour des femmes une tâche facile, et Cléopâtre, le visage tendu par l'effort, agrippant la corde à deux mains, avait grand-peine à la tirer vers le haut, tandis que ceux qui étaient en bas l'encourageaient et partageaient son angoisse. Quand elle l'eut ainsi recueilli, elle le coucha, déchira ses propres vêtements pour l'en couvrir et, se frappant la poitrine et la meurtrissant de ses mains, elle essuya le sang avec son visage, en l'appelant son maître, son époux, son Imperator, et elle oubliait presque ses maux à elle dans sa pitié pour ceux d'Antoine. Celui-ci arrêta ses lamentations et demanda du vin à boire, soit qu'il eût soif, soit qu'il espérât être ainsi délivré plus promptement de la vie. Après avoir bu, il lui conseilla de pourvoir à son salut, si elle pouvait le faire sans déshonneur, et de se fier à Proculeius plutôt qu'à aucun autre des amis de César; il l'exhorta à ne pas le plaindre de ce dernier changement de Fortune, mais à l'estimer heureux pour les biens dont il avait joui, ayant été le plus illustre et le plus puissant des hommes, et maintenant n'éprouvant pas de honte à être vaincu, lui Romain, par un Romain.

Plutarque,
Vie d'Antoine

«Meurs où tu as vécu, et revis sous les baisers»

C'est une Cléopâtre «gipsy», incroyablement rusée, qui force néanmoins l'admiration par son intelligence insolente et sa grandeur d'âme que peint Shakespeare en 1607. La scène est une exacte transposition du texte de Plutarque.

Cléopâtre. – O soleil, brûle la vaste sphère où tu te meus, et que les ténèbres couvrent la face trop changeante du monde!... O Antoine! Antoine! Antoine!... Charmion, à l'aide! A l'aide! Iras! A l'aide, vous, mes amis, là-bas! Montons-le jusqu'ici.

Antoine. – Silence! Ce n'est pas la valeur de César qui a renversé Antoine, c'est Antoine qui a triomphé de lui-même.

Cléopâtre. – Cela devait être : nul autre qu'Antoine ne devait vaincre Antoine. Mais quel malheur que cela soit!

Antoine. – Je suis mourant, Egypte, je suis mourant, mais j'implore de la mort un répit, jusqu'à ce que, de tant de milliers de baisers, j'aie déposé sur tes lèvres le pauvre dernier.

Cléopâtre. – Je n'ose pas, cher (mon cher seigneur, pardon!), je n'ose pas descendre, de peur d'être prise. Jamais l'impérieuse parade du fortuné César ne sera rehaussée par ma présence. Si les couteaux, les poisons, les serpents, ont une pointe, un dard, une action, je suis sauvegardée. Ta femme Octavie, avec ses regards prudes et son sang-froid impassible, n'aura pas l'honneur de me dévisager… Mais viens, viens, Antoine… Aidez-moi, mes femmes! Il faut que nous le montions! Assistez-moi, mes bons amis. *(Elle jette par la fenêtre des cordes auxquelles les gardes attachent Antoine; puis elle hisse celui-ci, avec l'aide de ses femmes.)*

Antoine. – Oh! vite! ou je suis à bout.

Cléopâtre, *tirant sur les cordes*. – Voilà

un exercice, en vérité!... Combien monseigneur est pesant! Notre force s'en va toute dans la douleur qui nous accable. Si j'avais le pouvoir de la grande Junon, Mercure t'enlèverait sur ses robustes ailes et te déposerait aux côtés de Jupiter... Viens! Encore un petit effort... Les souhaits furent toujours des niaiseries... Oh! viens, viens, viens! *(Elle attire Antoine à elle, et le tient embrassé.)* Sois le bienvenu, le bienvenu! Meurs où tu as vécu, et revis sous les baisers. Si mes lèvres avaient le pouvoir de te ranimer, je les userais ainsi!

Tous. – Accablant spectacle!

Antoine. – Je meurs, Egypte, je meurs! Donnez-moi du vin, que je puisse parler un peu!

Cléopâtre. – Non, laisse-moi parler, laisse-moi proférer de telles invectives que cette perfide ménagère, la Fortune, brise son rouet de dépit.

Antoine. – Un seul mot, reine bien-aimée! Assurez auprès de César votre honneur et votre vie... Oh!

Cléopâtre. – Ce sont deux choses inconciliables.

Shakespeare,
Antoine et Cléopâtre

La mort de Cléopâtre

La Cléopâtre captive est la première tragédie profane écrite en français : Jodelle, poète de la Pléiade, composa en 1552 cette pièce qui remporta un vif succès. La figure de la reine y est pathétique et admirable. Elle décide de recourir à la mort (la Parque) pour échapper à Octave (César).

CLÉOPÂTRE

Penserait donc César être du tout vainqueur,
Penserait donc César abâtardir ce cœur,

Vu que des tiges vieux cette vigueur j'hérite,
De ne pouvoir céder qu'à la Parque dépite?
La Parque, et non César, aura sus moi le pris
La Parque, et non César, soulage mes esprits;
La Parque, et non César, triomphera de moy;
La Parque, et non César, finira mon esmoy;

Jodelle,
Cléopâtre captive, IV

«Que je t'accompagne en l'infernale rive...»

Vers la fin du siècle, en même temps que se met en place le modèle romain, Robert Garnier compose en 1574 un Marc-Antoine qui s'achève sur les plaintes de la reine, penchée sur le corps mort d'Antoine.

CLÉOPÂTRE

Antoine, ô pauvre Antoine, Antoine, ma chère âme,
Tu n'es plus rien qu'un tronc, le butin d'une lame;
Sans vie et sans chaleur, ton beau front est desteint,
Et la palle hideur s'empare de ton teint...
Antoine, je te pry' par nos amours fidelles,
Par noz cœurs allumez de douces estincelles,
Par notre sainct hymen, et la tendre pitié
De nos petits enfants nœu de nostre amitié
Que ma dolente voix à ton oreille arrive
Et que je t'accompagne en l'infernale rive...
Que dis-je? Où suis-je? ô pauvre, ô pauvre Cléopâtre!
O que l'aspre douleur vient ma raison abatre!

Non, non, je suis heureuse, en mon mal
dévorant,
De mourir avec toy, de t'embrasser
mourant,
Mon corps contre le tien, ma bouche
desseichée,
De soupirs embrasez, à la tienne
attachée,
Et d'estre en mesme tombe et en mesme
cerceuil.

Robert Garnier,
Marc-Antoine, V

Cléopâtre morte, couchée sur un lit d'or

Après s'être ainsi lamentée, elle
couronna de fleurs et embrassa la tombe,
puis elle se fit préparer un bain. Une fois
baignée, elle se mit à table et prit un
repas somptueux. Un homme arriva
alors de la campagne, portant un panier.
Comme les gardes lui demandaient ce
qu'il contenait, il l'ouvrit, écarta les
feuilles et leur montra qu'il était plein de
figues. Les gardes admirant la beauté et
la grosseur des fruits, l'homme sourit et
les invita à en prendre; ainsi mis en
confiance, ils le laissèrent entrer avec ce
qu'il portait. Après son déjeuner,
Cléopâtre prit une tablette qu'elle avait
écrite et cachetée, et l'envoya à Octave,
puis, ayant fait sortir tout le monde, à
l'exception de deux femmes, elle ferma
la porte. Quand Octave eut décacheté la
tablette et lu les prières et les
supplications par lesquelles elle lui
demandait de l'ensevelir avec Antoine, il
comprit aussitôt ce qu'elle avait fait. Il
songea à aller d'abord lui-même à son
secours, puis il envoya en toute hâte des
gens pour voir ce qui s'était passé. Le
drame avait été rapide; car, venus en
courant, ils surprirent les gardes qui ne
s'étaient aperçus de rien, et, ouvrant la

porte, ils trouvèrent Cléopâtre morte,
couchée sur un lit d'or et vêtue de ses
habits royaux. L'une de ses suivantes,
appelée Iras, expirait à ses pieds; l'autre,
Charmion, déjà chancelante et
appesantie, arrangeait le diadème autour
de la tête de la reine. Un des hommes lui
dit avec colère : «Voilà qui est beau,
Charmion!» «Très beau, fit-elle et digne
de la descendante de tant de rois.» Elle
n'en dit pas davantage et tomba sur
place, près du lit.

Plutarque,
Vie d'Antoine, CVIII

Le triomphe d'Octave et la mort de Cléopâtre

*Le poète Horace (65-8 av. J.-C) compose
après Actium cette ode à la gloire
d'Octave, mais ne dit mot d'Antoine. Si le
début du poème condamne avec violence
Cléopâtre, la fin s'adoucit pour admirer
son courage et la beauté héroïque de son
suicide.*

C'est maintenant qu'il faut boire;
maintenant qu'il faut frapper d'un pied
libre la terre; maintenant que, dans un
festin digne des Saliens, il serait temps
d'apprêter, compagnons, le lit de parade
des dieux. Auparavant, c'eût été une
impiété de tirer le Cécube du cellier de
nos pères : une reine insensée travaillait
alors à la ruine du Capitole et aux
funérailles de l'empire, avec son
pestilentiel cortège d'hommes infâmes,
sans pouvoir modérer ses espérances, et
enivrée des faveurs de la fortune. Mais sa
folie furieuse tomba le jour où un seul de
ses navires, à peine, put échapper aux
flammes, et où Octave ramena à la
réalité son esprit, troublé par les fumées
du vin Maréotique : tremblante, elle
s'enfuyait loin de l'Italie; Octave, faisant
force de rames, la poursuivait comme
l'épervier fond sur les douces colombes,

comme le chasseur rapide traque le lièvre dans les plaines de l'Hémonie neigeuse : il fallait enchaîner ce monstre envoyé par le Destin.

Elle voulut une mort plus belle : elle n'eut pas, comme les femmes, peur d'une épée; elle ne chercha pas à profiter de la vitesse de sa flotte pour gagner des rivages inconnus. Elle eut le courage de regarder en face son pouvoir écroulé, et, le visage calme, bravement, elle prit les serpents redoutables et absorba, de tout son corps, leur noir venin, avec une intrépidité grandie par la mort qu'elle avait choisie. Sans doute ne voulait-elle pas, déchue de son pouvoir, mais non point diminuée comme femme, se laisser traîner sur de cruelles liburnes [bateaux de pirates] à un superbe triomphe.

Horace,
Odes, I, 37

«Elle lui a échappé. Elle a gagné»

Le roman de Françoise Xénakis, écrit en 1986, est un hymne à Cléopâtre, féministe avant l'heure.

Elle court vers son mausolée, à la porte éventrée. Monte à sa chambre. Le corps de Marc Antoine a été enlevé.

– Vite, habille-moi! Non, je ne veux pas quitter cette robe souillée. Habille-moi en déesse d'Isis par-dessus, Charmion. Dépêche-toi, le temps va nous manquer!

Avant de monter, elle a prié des gardes de venir prendre ses coffres et de les porter à Octave. Le temps qu'ils cassent les chaînes et les cadenas lui laisse une heure, une heure peut-être avant qu'ils n'ouvrent et ne trouvent que le sable qu'elle y a fait mettre.

Elle sourit, rit, la petite reine. «S'il a cru que je croyais à son désir! – vrai au demeurant – et qu'en l'acceptant

j'espérais me sauver, il saura en recevant mon présent que jamais être la conquête d'un Octave n'a été mon intention!»

Elle a certes sa robe de déesse, mais n'a plus de couronne. Partie, la couronne, avec Césarion, et son sceptre avec lequel elle voulait pourtant mourir, parti lui aussi, que l'homme devant un tel présent coure à en mourir.

Allongée dans son cercueil d'albâtre, elle a revêtu sa perruque noire.

Alors, elle entrouvre le panier où vivent ses deux petites vipères. Ce matin encore, Charmion leur a donné des figues fraîches. Elle en saisit une, la pose au mitan, à la pliure de son bras; elle s'y love. Calme. «Allons, fais ce que tu as à faire, et vite.» Mais, habituée à elle, à son odeur depuis si longtemps, la vipère noire ne désire pas mordre. Cléopâtre a beau presser du lait de figue, là, sur sa veine qui saille. En vain. Alors elle la frappe, excédée, et dans un réflexe de peur la bête enfonce enfin ses deux crocs en elle.

Il était temps, plus que temps. Elle partie, Octave, le désir à nouveau engourdi, s'est ressaisi. «Elle m'a menti! Il me la faut et vivante!» Il court vers le mausolée. Arriver avant, l'empêcher de se tuer. Il la lui faut! Il ne trouvera le sommeil et le bonheur qu'une fois son corps traîné dans les rues de Rome, enfin crevé.

Trop tard. Elle est là, Cléopâtre. Couchée. Ses deux mains paumes à nouveau ouvertes. Calme. Morte.

Il écume, flanque des coups de pied contre le catafalque, brandit même son épée comme pour l'en transpercer, et s'écroulent alors les dernières suivantes de la reine qu'il croyait agenouillées, en pleurs. Mortes elles aussi…

Elle lui a échappé. Elle a gagné.

Françoise Xénakis,
Mouche-toi Cléopâtre

Le péplum des péplums

Dès les débuts du cinéma, Cléopâtre est sacrée star. Les metteurs en scène trouvent une source privilégiée de documentation chez Plutarque. Le rôle a été particulièrement mis en valeur par Vivien Leigh et Elizabeth Taylor, tandis qu'Antoine garde à tout jamais les traits de Richard Burton.

Un tel sujet, de tels personnages ne pouvaient laisser le 7e art indifférent, bien avant la mode des «péplums». Qui se souvient que, la dernière année du XXe siècle, l'un des premiers films produit est la *Cléopâtre* de Méliès? Une vingtaine au moins ont suivi, consacrés à Cléopâtre seule ou à Antoine et Cléopâtre, sans parler des dizaines de films inspirés de la biographie de César, où l'un ou l'autre apparaît plus ou moins fugitivement.

De la grande période du muet, entre 1907 et 1917, se détachent le somptueux *Marcantonio e Cleopatra* d'E. Guazzoni et la *Cleopatra* américaine de J. G. Edwards, incarnée par la *vamp* du muet, la sensuelle Theda Bara : les yeux cernés de khôl, les seins libres sous d'étonnants bonnets métalliques séparés, elle était fascinante en vouivre lascive aux charmes à demi dévoilés.

La mode garçonne, les suffragettes, le jazz et le charleston portèrent un coup

durable à Cléopâtre. Dans le désert de l'avant-guerre, se dresse le pic unique du monument de Cécil B. de Mille, sa fresque colossale : *Cleopatra* (1934). Brute de travail, qui menait ses acteurs en bottes et en culotte de cheval, mais brute minutieuse, qui tenait à ce que les bijoux soient reproduits d'après des modèles authentiques. Quelques anachronismes, bien sûr, mais, pour les charmes de Claudette Colbert se plongeant dans un bain de lait d'ânesse où flottent les pétales de roses lancés par des beautés demi-nues, que ne pardonnerait-on point?

Le rôle revint après guerre à Vivien Leigh, pour le *Caesar and Cleopatra* britannique de G. Pascal (1945); son visage de femme-enfant tourmentée seyait bien à cette adaptation de la pièce de B. Shaw; elle sauve le film, qui n'est pas à la hauteur de ses intentions. Mais déjà s'amorce la dérive érotique, avec *La Vida intima de Marco Antonio y Cleopatra*, du Mexicain R. Galvadon, sorti l'année suivante.

De l'âge d'or du péplum – les années 50 et le début des années 60 –, il faut extraire deux adaptations cinématographiques du *Jules César* de Shakespeare : celle de D. Bradley, en 16 mm, sortie en 1950, avec un étonnant Charlton Heston en Antoine, et surtout, le chef-d'œuvre de J. L. Mankiewicz, en 1953, où Marlon Brando incarne Antoine, splendide fauve intelligent. De toutes les adaptations de la pièce, aucune n'égale celle-ci, sauf, peut-être, au théâtre, celle de Robert Hossein, en 1985-1986, même si J.-P. Sentier paraît un peu frêle dans le personnage d'Antoine. Les autres productions sont pâles à côté, y compris la coproduction franco-italo-espagnole *Les Légions de Cléopâtre*, avec Georges Marchal en Antoine, l'un des rares films à évoquer les derniers mois de

la vie d'Antoine et de Cléopâtre.

Oublions les pantalonnades plus ou moins déculottées qui, de *Due Notti con Cleopatra* (1954), au dessin animé japonais *Cléopâtre reine du sexe* (1972), en passant par *Carry on, Cleo* – assez drôle, au moins! –, font de Cléopâtre une reine du porno antique, renouant sans le savoir avec la tradition des *Vies des hommes illustres*. Et saluons le «bouquet final» offert par le film péplum avec le *Cleopatra* de J. L. Mankiewicz (1963). A l'origine, ce devait être un *remake* du film de 1917, avec Liz Taylor à la place de Theda Bara. A la fin, ce film, qui coûta quarante millions de dollars, faillit mettre en faillite la 20th Century Fox, avant de la remettre en selle grâce à ses recettes. Liz Taylor, dans sa pulpeuse maturité, y incarne une Cléopâtre aussi intelligente et digne que sensuelle et gracieuse. Des lenteurs et des folies de ce film, où Liz Taylor et Richard Burton jouèrent au naturel les amours orageuses d'Antoine et de Cléopâtre, nous retiendrons ici l'interprétation fabuleuse de Richard Burton en Antoine se voyant, avec une lucidité désespérée, en train de se défaire lentement, et de la trop brève évocation des navires monstrueux qui combattirent à Actium. C'est tout, avec les albums *Astérix et Cléopâtre* – qui démarque avec humour le péplum – et *Le Fils de César*, où Césarion bébé est poursuivi par la jalousie de... Brutus!

Que reste-t-il aujourd'hui d'Actium? Un nom, quelques pierres gravées, le ressac des vagues qui viennent mourir à l'entrée de Préveza. D'Antoine et de Cléopâtre? Encore moins. Capiteuse et légère, la fumée des merveilleux cigares «Antoine et Cléopâtre», en dernier hommage à leur Vie inimitable.

P.-M. Martin,
Antoine et Cléopâtre,
Albin Michel, 1990

CHRONOLOGIE

- 100	Naissance de César.		- 40	Partage de l'empire à Brindes.
- 83 ?	Naissance d'Antoine.			Antoine épouse Octavie.
- 69	Naissance de Cléopâtre.		- 40-39	Naissance des jumeaux d'Antoine
- 63	Naissance d'Octave.			et Cléopâtre.
- 55	Gabinius rétablit Ptolémée XII.		- 37	Triumvirat renouvelé.
- 51	Cléopâtre et Ptolémée XIII souverains.			Retrouvailles de Cléopâtre et
- 49	Début de la guerre entre Pompée			d'Antoine.
	et César.		- 36	Guerre contre les Parthes.
- 48	Meurtre de Pompée.			Naissance d'un troisième enfant.
	Guerre d'Alexandrie.		- 34	Les «donations d'Alexandrie».
	Cléopâtre et Ptolémée XIV souverains.		- 32	Octavie répudiée par Antoine.
- 47	Naissance de Césarion.			Déclaration de guerre à l'Egypte.
- 46	Cléopâtre à Rome.		- 31	2 septembre : Actium.
- 44	Meurtre de César.		- 30	Suicides d'Antoine et de Cléopâtre.
	Cléopâtre à Alexandrie.			Réduction de l'Egypte en province
- 43	Deuxième triumvirat.			romaine.
	Proscriptions.		- 29	Triomphe d'Octave.
- 42	Philippes.		- 27	Octave nommé Auguste.
	Mort de Brutus et de Cassius.			Début du principat.
- 41	Rencontre de Cléopâtre et Antoine			
	à Tarse.			

BIBLIOGRAPHIE

Sources

Sauf indication contraire, les éditions suivantes sont éditées en version bilingue par les éditions des Belles-Lettres.

- Appien, *Guerres civiles, II-V.*
- Auguste, *Res gestae.*
- Aulu-Gelle, *Nuits attiques.*
- César, *Guerre civile, I-III.*
- Cicéron, *Correspondance*; *Philippiques.*
- Dion Cassius, *Histoire romaine.*
- Florus, *Epitomes II.*
- Flavius Josèphe, *Antiquités juives, XIV-XV*; *Guerre des Juifs, I.*
- Horace, *Odes*; *Epodes.*
- Lucain, *Pharsale.*
- Pline l'Ancien, *Histoire naturelle, IX.*
- Plutarque, *Vie des hommes illustres* (Antoine, César, Cicéron, Brutus), La Pléiade», Gallimard.
- Properce, *Elégies.*
- Strabon, *Géographie, XVII.*
- Suétone, *Vies des douze Césars* (César, Auguste).
- Velleius Paterculus, *Histoire romaine, II.*
- Virgile, *Enéide.*

Etudes

- *Alexandrie, IIIe siècle avant J.-C.*, «Autrement» n° 19.
- J. Becher, *Der Bild des Kleopatra in der griechischen und lateinischen Literatur*, Deutsche Akademie des Wissenschaft, Berlin, 1966.
- Bernand, *Alexandrie la Grande*, Arthaud, 1966.
- Bevan, *Histoire des Lagides*, Paris, 1934.
- Bouche-Leclercq, *Histoire des Lagides*, Leroux, 1904.
- J. Carcopino, *César*, PUF, 1935; *Passion et politique chez les Césars*, Hachette, 1958.
- *César*, Histoire et Archéologie n° 92, mars 1985.
- F. Chamoux, *La Civilisation hellénistique*, Arthaud, 1981; *Marc-Antoine, dernier prince de l'Orient grec*, Arthaud, 1986.
- F. Dunand et Zivie-Roche, *Dieux et hommes en Egypte*, Armand Colin, 1991.
- G. Fau, *L'Emancipation féminine à Rome*, Les Belles-Lettres, 1978.
- P. Grimal, *L'Amour à Rome*, Les Belles-Lettres, 1979.

- P. Graindor, *La Guerre d'Alexandrie*, Le Caire, 1931.
- P. Jal, *La Guerre civile à Rome*, PUF, 1963.
- N. Lewis, *La Mémoire des sables, vie en Egypte sous la domination romaine*, Armand Colin, 1983.
- P.-M. Martin, *Antoine et Cléopâtre, la fin d'un rêve*, Albin Michel, 1991; *Tuer César*, Editions Complexe, Bruxelles, 1988.
- H. I. Marrou, *Histoire de l'éducation dans l'Antiquité*, Le Seuil, 1948.
- Nicolet *et alii*, *Rome et la conquête du Bassin méditerranéen*, PUF, 1978.
- C. Préaux, *Economie royale des Lagides*, Paris, 1939.
- L. M. Rickett, *The Administration of Ptolemaic Egypt under Cleopatra VII*, Minneapolis, 1980.
- A. Weigall, *Cléopâtre, sa vie, son temps*, Payot, 1934.
- O. von Wertheimer, *Cléopâtre*, Payot, 1935.
- E. Will, *Histoire politique du monde hellénistique*, Presses universitaires de Nancy, 1979.

TABLE DES ILLUSTRATIONS

COUVERTURE

1er plat Profil de Cléopâtre, bas-relief du temple de Kom Ombo, Egypte, mise en couleurs Gallimard. Dos *Cléopâtre*, peinture de A. Cabanel. Musée des Beaux-Arts, Béziers. 4e plat *La Mort de Cléopâtre*, peinture de L.-M. Baader. Musée des Beaux-Arts, Rennes.

OUVERTURE

1 *Le Suicide de Cléopâtre* (détail), peinture de R. Arthur, XIXe siècle. Roy Miles Fine Paintings, Londres.
2 *Cléopâtre mourante*, peinture de Le Guerchin. Palazzo Rosso, Genève.
3 *Cléopâtre mourante*, peinture de Le Guerchin. Palazzo Rosso, Genève.
4 *La Mort de Cléopâtre*, peinture de A. Bellucci, vers 1700. Musée de Clermont-Ferrand.
5 *La Mort de Cléopâtre*, peinture de L. Lagrenée. Musée du Louvre, Paris.
6 *Cléopâtre se donnant la mort*, peinture de Cl. Vignon, dit le Vieux. Musée des Beaux-Arts, Rennes.
7 *Cléopâtre*, peinture de G. Reni. Galerie Pitti, Florence.
8 *Le Suicide de Cléopâtre*, peinture de R. Arthur, XIXe siècle. Roy Miles Fine Paintings, Londres.
9 *Le Suicide de Cléopâtre*, peinture de G. Cagnacci. Kunsthistorisches Museum, Vienne.
11 *Cléopâtre*, dessin de Clovion d'après Raphaël. Musée du Louvre, Cabinet des Dessins, Paris.

CHAPITRE I

12 Le phare d'Alexandrie, reconstitution d'après J. B. Fischer von Erlach, 1700.
13 Verrerie d'Alexandrie. Musée d'Alexandrie.
14h Monnaie d'Alexandrie (Ptolémée Ier). Bibliothèque nationale, Paris.
14b Une reine lagide (Cléopâtre II ou III), Grèce hellénistique, milieu du IIe siècle avant J.-C. Musée du Louvre, Paris.
15h Monnaie d'Alexandrie (le Sérapeum). Bibliothèque nationale, Paris.
15b Plan d'Alexandrie dans l'Antiquité, d'après Duruy.
16h Sérapis et Isis, détail d'un relief votif, Alexandrie, IIe siècle. Musée du Capitole, Rome.
16b Maquette du phare d'Alexandrie. Musée d'Alexandrie.
17 Figurines hellénistiques, terre cuite, provenant d'Alexandrie. Musée d'Alexandrie.
18 Lanterne en forme de maison alexandrine, terre cuite. Musée d'Alexandrie.
18-19 Crue du Nil, détail de la mosaïque de Palestrina. Musée archéologique, Palestrina.
19 Crue du Nil, détail de la mosaïque de Palestrina. Musée archéologique, Palestrina.
20g Statue masculine, bois de karité, époque ptolémaïque (IVe siècle avant J.-C.). Musée du Louvre, Paris.
20d Papyrus Chester Beatty I.
21 Reconstitution de la Bibliothèque d'Alexandrie, d'après une gravure hongroise, 1880.
22 Tasse décorée de motifs égyptiens, provenant de Castellamare di Stabia. Musée archéologique national, Naples.
23h Sakkieh, détail d'une fresque de chambre funéraire. Musée d'Alexandrie.
23b Panémérit, gouverneur de Tanis, Egypte, Basse Epoque. Musée du Louvre, Paris.
24b La coupe Farnèse, Alexandrie, époque ptolémaïque. Musée national d'archéologie,

Naples.
24-25 Tête de Ptolémée XII (face, profil, dos). Collection particulière.
26b Buste de Pompée. Musée des Offices, Florence.
26h-27 Légionnaire romain. Musée de la Civilisation romaine, Rome.
28-29 Carte des conquêtes romaines du IIIe siècle avant J.-C. au Ier siècle après J.-C.

CHAPITRE II

30 Profil de Cléopâtre, bas-relief du temple de Kom Ombo, Egypte.
31 Cléopâtre. Musée Pio-Clementino, Vatican.
32 Attis dansant, deuxième moitié du IIe siècle avant J.-C., terre cuite, Myrina. Musée du Louvre, Paris.
32-33 Manuscrit : L'Art d'Eudoxe, traité d'astronomie, IIe siècle avant J.-C. Musée du Louvre, Paris.
34 Statuette : écolier écrivant, terre cuite. Musée d'Alexandrie.
34-35 Extraction de l'essence de lys, bas-relief, Egypte, Basse Epoque. Musée du Louvre, Paris.
35 Zodiaque sculpté au plafond de l'une des salles supérieures du grand temple, Denderah, gravure extraite de la *Description de l'Egypte*, de Prosper Jollois et Edouard de Villiers du Terrage, 1809-1826.

36-37 Buste de Cléopâtre (face et profil). British Museum, Londres.
36-37b Inscription grecque : le nom de Cléopâtre, détail de la stèle de Cléopâtre, Ier siècle avant J.-C. Musée du Louvre, Paris.
37 Bracelet au serpent, art romain, Ier siècle. Musée de Naples.
38 Isis à genoux, époque ptolémaïque, Egypte, Basse Epoque. Musée du Louvre, Paris.
38-39 Façade du temple de Denderah, aquarelle de Cécile, vers 1800. Musée du Louvre, Paris.
39 Stèle au taureau Boucchis. NY Carlsberg Glyptotek, Copenhague.
40 Monnaie : Pompée.
41h Jules César. Musée Pio-Clémentino, Vatican.
41 *Cléopâtre et César*, peinture de J.-L. Gérome. Collection particulière, Courtesy of Sotheby's, Sotheby's, 1990.
42h Scène de *Caesar et Cléopatra* de Gabriel Pascal, 1945.
42b Stewart Granger dans le rôle d'Apollodoris dans *Cleopatra* de Joseph Mankiewicz, 1963.
43h Rex Harrisson dans le rôle de César dans *Cleopatra* de Joseph Mankiewicz, 1963.
43b Elizabeth Taylor dans le rôle de Cléopâtre dans *Cleopatra* de Joseph

Mankiewicz, 1963.
44, 45b Episode de la guerre d'Alexandrie dans *Cleopatra* de Joseph Mankiewicz, 1963.
45h Alexandrie, quartiers royaux : bibliothèque antique.
46-47 *César remet Cléopâtre sur le trône d'Egypte*, peinture de P. de Cortone. Musée des Beaux-Arts, Lyon.
48-49 *La Galère de Cléopâtre*, gravure de H. Pilou. Musée Goupil, Bordeaux.
50h La naissance d'Harpocrate devant Amon-Ré, Nekhbet et Cléopâtre VII, relevé du bas-relief du Mammisi détruit de Ermant, d'après Lepsius.
50b Isis allaitant Harpocrate, Egypte, Basse Epoque. Musée du Louvre, Paris.
51 Scène d'offrande, Denderah, temple de Hathor, Egypte.
52 *César dénonce Catilina au Sénat*, fresque de Cesare Maccari, 1889. Palazzo Madama, Rome.
53h Buste de Cicéron, art romain. Musée des Offices, Florence.
53b *La Mort de Jules César*, peinture de V. Camuccini. Musée di Capodimonte, Naples.

CHAPITRE III

54 *L'Embarcation de Cléopâtre*, peinture de T. Buchanan. Collection particulière.
55 Cartouche de Cléopâtre.

56g Tête de Marc-Antoine, marbre. Musée du Capitole, Rome.
56-57 *Les Massacres du triumvirat*, peinture de A. Caron. Musée du Louvre, Paris.
57d Tête d'Octave. British Museum, Londres.
58b Scène dionysiaque, bas-relief. Musée d'Alexandrie.
58-59 *Débarquement de Cléopâtre à Tarse*, peinture de Francken le Jeune. Musée des Beaux-Arts, Nantes.
59b Hercule. Musée d'Alexandrie.
60 *Rencontre d'Antoine et Cléopâtre*, fresque de G. Tiepolo. Palazzo Labbia, Venise.
61 *Banquet d'Antoine et Cléopâtre*, fresque de G. Tiepolo. Palazzo Labbia, Venise.
62-63 *Cléopâtre essayant des poisons sur des condamnés à mort*, peinture de A. Cabanel, 1887. Musée royal des Beaux-Arts, Anvers.
64h Buste d'Octavie, art romain. Musée national des Thermes, Rome.
64b Tête de Livie, Ier siècle avant J.-C. Musée du Louvre, Paris.
65 Guerrier dit «Gladiateur Borghèse», Agasias d'Ephèse, début du Ier siècle avant J.-C. Musée du Louvre, Paris.
66h Monnaie d'argent, à l'avers Marc-Antoine (83-30 avant J.-C.), au revers Cléopâtre.

122 Illustration pour *La Mort de Pompée* de P. Corneille par F. Chauveau, 1644.
124 Scène de *Caesar et Cleopatra* de Gabriel Pascal, 1945.
128 Campagne de Jules César : les camps de Jules César et de Ptolémée le long du Nil, gravure, XVIIIᵉ siècle.
130 *Rencontre d'Antoine et de Cléopâtre*, peinture de Wertheimer.
132 Scène de *Cleopatra* de Joseph Mankiewicz, 1963.
133 Bas-relief d'Antoine et Cléopâtre, gravure, XIXᵉ siècle.
134 La rencontre de Tarse, gravure, XIXᵉ siècle.
137 *Cléopâtre essayant les poisons sur les esclaves*, peinture de S. Daynes-Grassot.
138 Scène de *Cleopatra* de Joseph Mankiewicz, 1963.
142 Cartes de la bataille d'Actium d'après P.-M. Martin, *Antoine et Cléopâtre, la fin d'un rêve*, Albin Michel, 1990.
142 *La Mort de Cléopâtre*, peinture de L.-M. Baader. Musée des Beaux-Arts, Rennes.
144 *Cléopâtre, reine d'Egypte, se tuant avec le serpent*, gravure.
Bibliothèque nationale, Paris.
148g Affiche de *Cleopatra* de Joseph Mankiewicz, 1963.
148d Elizabeth Taylor dans *Cleopatra* de Joseph Mankiewicz, 1963.
149 Scènes de *Cleopatra* de Joseph Mankiewicz, 1963.
151 Vivian Leigh dans *Caesar et Cleopatra*, de Gabriel Pascal, 1945.

INDEX

A

Achillas 38, 41, *44*, 45, 51.
Achille *34*.
Acropole 79.
Actium 81-83, *82*, *85*, 88, 89, 103.
Afrique 71, 80.
Agrippa 76, 81, 82.
Ahenobarbus 77.
Ajax de Rhoeton 78, 103.
Alexandre le Grand 13, 14, *14*, 15, *15*, 31, 33, *34*, *49*, *108*.
Alexandre-Hélios (Soleil) 64, *67*, 70, 72, 73, 102.
Alexandrie :
fondation 15-16;
description 16-17;
activités économiques 17-18;
activité culturelle 19-22;
population 17-18.
Alexandrie, cérémonies 72-73, *72*, *73*.
Ambracie 81.
Amimetobion 62-64, *62*.
Amon 51.

Antioche 66.
Antoine 27, 55, 56, *56*, 57, *57*, 58;
rencontre à Tarse avec Cléopâtre 59, 62, *59*, *61*, 62;
à Alexandrie 62-64, *62*, *63*;
enfants de - *67*.
Antonia (vaisseau amiral de Cléopâtre) 81.
Antoniens 76, 78.
Antyllus (fils d'Antoine et de Fulvie) 88, 92.
Anubis *102*.
Apelle 19.
Aphrodite *67*.
Apis 109.
Apollon d'Ephèse 78.
Apollon de Myron 103.
Apollon, temple d' 76.
Apothéose *110*.
Arabes 34.
Archibius 95.
Aréios 92.
Armée romaine *27*, *83*.
Arménie 70, 71, 72, 73, 105.
Arsinoé 14, *15*, 38, 39, 44, *44*, 45, *47*, 49, 51, 55, 95.
Artavasde d'Arménie 71.

Aspic 94.
Astrologie 33, *35*.
Astronomie 33, *35*.
Athéna-Polias 65.
Athènes 58, 64, 65, *78*, 79.
Augustus 103, *110*.

B

Bacchantes 58.
Balsamier *67*.
Banques 23.
Bellone 80.
Bérénice 14, *15*, 24.
Bérénice IV 27.
Bibliothèque 19-20, *20*;
incendie 45, *45*.
Bibulus 38.
Bijoux 20, 36.
Bithynie *29*, 58.
Bouchis *38*.
Bourdon, S. *109*.
Brantôme 134.
Brecht, Bertolt 127.
Brindes 64.
Bruchion 17.
Brutus 56, 58.

C

Caligula 105.
Callimarque 19, *20*.

Calpurnia 51.
Canidius 79, *79*, 82.
Canon de Cléopâtre, Le 34.
Canope 18, 64.
Capitole 51, *75*, 80, 103, *105*.
Cappadoce 58.
Caracalla 108.
Cassius 56, 57, 58, 59.
Caton 26.
Catulle 20.
César 25, 26, 38, 40, *40*, *44*, *45*, *47*, *48*, *49*, *51*, *52*, *53*, 102, *109*;
- à Alexandrie 40-49;
rencontre avec Cléopâtre 41, *40*, *43*;
voyage sur le Nil *48*, 49-50, *49*;
triomphe 51;
assassinat 52-53, *52*, *53*;
succession 55, 56.
Césarée (actuelle Cherchell) 104, *105*.
Césarion, *voir* Ptolémée César.
Chalcis 67.
Champs de Mars 80.
Charmion *47*, 94, *94*, 95.
Chlamyde 62, 73.
Chypre 26, *29*, 44, 67, 73.
Cicéron 51, *53*, *56*,

57, *57.*
Cilicie *29*, 58, 67, 73.
Cléopâtre Tryphaia, la Jouisseuse 14.
Cléopâtre VI 14.
Cléopâtre-Séléné (Lune) 64, *67*, 72, 73, 102, 104, *105.*
Clergé 32, 38, *39*, 108, 110.
Clérouques 23.
Cneius Pompeius 39.
Coélé-Syrie 66, 73.
Compagnons de la mort, *voir Synapothnuménon.*
Conquête romaine 22, 25-26, *29.*
Corneille 123, 125.
Cornélius Gallus 89, 110, 111.
Cortone, Pierre de *47.*
Corvus (grappin) *83.*
Cosmétiques *34.*
Crassus 25, *69.*
Crète 67.
Crocodile (symbole de l'Egypte) *83*, 101.
Culte du divin Jules 65.
Culte impérial 108, *110.*
Cydnos 59, 62.
Cyrénaïque 73, 88.

D

Dalmates 103.
Damas 67.
Déclaration de guerre à Cléopâtre 80.
Dellius 82.
Démétrios de Phalère *20.*
Démosthène 33.
Dendera *35*, *39*, *51.*
Dincratès de Rhodes 17.
Dioicète *23*, 27, 37.
Dion Cassius 35, 36, 80, 82, 89, 93, 103, 105, 115, 116.
Dionysos 16, 24, 58, *59*, 62, 65, 67, 72, 76, 91.
Dioscoride 34.

Dolabella 56, 57.
Donations d'Alexandrie 72-73, 78.
Du Camp, Maxime *107.*

E

Ecole alexandrine 19.
Economie égyptienne 22-23.
Education 32-33, *33.*
Eleusis 18.
Empire 111.
Empire romain *85.*
Enkukléios paidéia 32.
Epaphrodite 92.
Ephèse 27, 58, 78, *78*, 79, *79*, 103.
Epire 81.
Eratosthène *20.*
Ermant *38*, 50, *51.*
Eschyle 33.
Esculape *15.*
Ethiopie 89, 93.
Ethiopiens 34.
Euclide 19.
Euphrate 67.
Euripide 33.

F

Famines 37.
Fayoum 23.
Femmes à Rome *64.*
Finances 23.
Flavius Josèphe *69*, 115.
Flaubert, Gustave *107.*
Fonctionnaires 22, *23*, 37, 110.
Fulvie 58, 64, *67.*

G

Gabinius *26*, 27.
Gallus 92.
Ganymède *44*, *45.*
Gaules 51, 80.
Gautier, Théophile 136.
Gérome *40.*

Grand port 17, 45.
Greniers royaux *23.*
Guerre d'Alexandrie 45-46, *45.*
Gymnases 62, 72.
Gymnasiarque 65, *64*, 83.

H

Hadrien 108.
Hathor *39*, 104.
Hébreux 34.
Héliopolis 67.
Heptastade 17.
Hercule *59*, *76.*
Heredia, José Maria 131, 132.
Hérode *29*, 58, 64, 65, 67, *68*, *69*, 70, 71.
Hérodote 33.
Hésiode 33.
Hiéropolis 111.
Homère 33, *34.*
Hoplites *18.*
Horace 115, 147.
Horus 50, *51*, *102*, 105, *111.*

I

Ides de mars 52, 53.
Idumée 65.
Illiade, l' 34.
Imperator *27*, 40, *45*, *51*, 51.
Imperium 27.
Impôts 23, *23*, 111.
Inde 89.
Ionie 58.
Iotapa 105.
Iphigénie à Aulis 34.
Iras 94, *94.*
Irias *47.*
Isis *16*, *38*, *39*, 50, *51*, 67, 72, 104, 105, *107.*
Iuratio Italiæ 80.

J - K

Jéricho 67.
Jérusalem 26.

Jodelle 145.
Juba II de Numidie 104, *105.*
Judée *29*, 58, 64, 65, 66, 67, 67, *68*, *69*, 70, 103.
Jupiter Capitolin, temple 103.
Kasion, promontoire de 39.
Koinè 15.

L

La Calprenède 119, 125.
Lagides :
dynastie 14, *15*;
origines grecques 14-15.
Laographia 111.
Légionnaires *27*, *47*, 51, *80*, 81.
Lépide 57, 66, 71, 65.
Lex titia 57.
Libye 73, 88.
Livie 66, 77.
Livres sibyllins 27.
Lucain *49*, *55*, 58, 75, 115, 122, 125, 129.
Lupercales 53.

M

Macédoine 56.
Mammisi («maison de naissance») 51, *51.*
Marc-Antoine, *voir* Antoine.
Maréotis, lac 16, 18, 64.
Marmontel 119.
Mars *80.*
Massacres des prescriptions 57, *57.*
Mausolée 90, 91, 92, 93, *93.*
Mèdes 34, 70, 71, 73, 76, 105.
Memphis 103.
Ménandre 33.
Mer Rouge 89.
Misène 65.
Mithridate *45.*
Monnaie 37, 38.

CRÉDITS PHOTOGRAPHIQUES

Archiv für Kunst und Geschichte, Berlin 12, 54, 78b. Alinari, Rome 31. Alinari/Giraudon, Paris 7. Aliza Auerbach/ASAP, Paris 68-69. Archives Cahiers du cinéma, Paris 66. Artephot/Fiore, Paris 53. Artephot/Nimatallah, Paris 9, 22, 64h,76b. Artephot/Percheron, Paris 105. Artephot/Stierlin, Paris couverture, 30, 35, 37. Artephot/Trela, Paris 88. Bibliothèque nationale, Paris 14, 15. BFI Stills, Posters and Designs, Londres 73, 76-77, 124, 148b, 148h, 149-151. Bridgeman Art Library, Londres 86, 90-91, 94-95. Bridgeman/Giraudon, Paris 1, 8. British Museum, Londres 36-37, 57, 82, 101, 102. J.-L. Charmet, Paris 21, 67. Chuzeville, Paris 111. Cinémathèque française, Paris 42h, 42b, 43h, 43b, 44-45, 132, 138. Droits réservés 15, 20, 24-25, 50, 79, 106-107, 112. Ecole Nationale Supérieure des Beaux-Arts, Paris 104-105. Editions A.C.R., Paris 62-63, 70, 72. Editions Berko, Knokke-Zoute 54, 96-97, 98-99. Editions Sarapis, Alexandrie 13, 16, 17, 18, 23, 34, 58b, 59, 69, 71, 87, 103. Dagli Orti, Paris 16, 24, 26-27, 45, 56, 75. Giraudon, Paris 4, 6, 26, 32, 58-59. Michael Holford, Londres 78h, 81. National Trust Photographic Library/Horst Kolo, Londres 92-93. NY Carlsberg Glyptotek, Copenhague 39. Réunion des Musées Nationaux, Paris 5, 11, 14, 20, 23, 32-33, 34-35, 36-37, 38, 38-39, 46-47, 50, 56-57, 64b, 65, 74, 80-81, 108-109. Roger-Viollet, Paris 4e de couverture, 66h, 93, 113, 114, 119, 120, 122, 128, 130, 133, 134, 137, 142, 144. Scala, Florence 2, 3, 18-19, 41, 55. Vertut, Paris 100.

COLLABORATEURS EXTÉRIEURS

Suivi éditorial : Nathalie Palma.

REMERCIEMENTS

L'auteur tient à remercier tout particulièrement C. Aziza, C. Bridonneau, P. Morin, F. de Polignac, C. Volpilhac-Auger, A. von Busekist

Table des matières